Laurent Duval

ABUS DE PRESSE

Critique du quatrième pouvoir

Liber

Les éditions Liber sont inscrites au programme de subvention globale du Conseil des arts du Canada. Elles reçoivent également une aide du ministère de la Culture et des Communications du Québec.

Maquette de la couverture : Yvon Lachance

Illustration : Gérard

Éditions Liber
C. P. 1475, succursale B
Montréal, Québec
H3B 3L2
Tél. : (514) 522-3227

Diffusion Dimedia
539, boul. Lebeau
Saint-Laurent, Québec
H4N 1S2
Tél. : (514) 336-3941

Dépôt légal : 4ᵉ trimestre 1995
Bibliothèque nationale du Québec

ISBN 2-921569-27-2

*À Jean-Benoît
et Véronique*

Avant-propos

Ce livre n'est pas un réquisitoire contre la presse, les journalistes et les médias, mais un pamphlet pour en démasquer les travers et en dénoncer les abus. Le quatrième pouvoir inquiète. Il inquiète énormément.

Critiquer les médias, c'est s'aventurer sur un terrain miné. À la moindre tentative de blâme, on se fait rappeler que, dans l'Antiquité, le messager porteur d'une mauvaise nouvelle méritait la peine de mort et que, de nos jours, le messager, c'est le journaliste, lequel sert inévitablement de bouc émissaire. Y croit-on vraiment ? S'agit-il d'une lapalissade ? Oui et non. Il est évident que ça ne va pas bien dans le monde et qu'il en a toujours été ainsi. « Rien n'est nouveau sous le soleil, même quand il n'y a pas de soleil », a dit Ionesco.

D'abord et avant toute chose, force nous est de convenir d'une première donnée qui, sans être exclusive aux journalistes, les caractérise : leur complexe de supériorité. C'est ainsi qu'ils croient toujours avoir raison. « Contrairement à l'infaillibilité du pape, celle du journaliste n'est pas soumise à des conditions. Un journaliste n'a jamais tort », a écrit Graham Greene qui fut lui-même journaliste à ses heures ! C'est cet insupportable *quia ego nominor leo* qui explique en grande partie le comportement désinvolte, le sans-gêne, l'outrecuidance, voire l'impertinence de la majorité d'entre eux. Cette autorité morale, qu'ils s'accordent *a priori* et qui nous indispose si souvent, peut s'avérer bénéfique, par ailleurs, dans les causes humanitaires et écologiques.

Personne ne pourrait mettre en doute le professionnalisme du journaliste Peter C. Newman. Dans un éditorial du magazine *Maclean's* intitulé « Le journalisme et le long chemin vers la vérité », publié en août 1980, il écrivait : «Le journalisme, pour ceux d'entre nous qui en font partie, est la plus noble des professions. Nous nous considérons comme les derniers hommes en colère, pourchassant la vérité là où elle se terre et de quelque manière qu'elle se présente. » Que de suffisance, de prime abord, dans cet énoncé. Que de fierté légitime aussi. Mais tout s'explique par le paragraphe qui le précédait : « Le problème est que le monde dans lequel nous vivons a changé de façon si radicale, est devenu si complexe que les lecteurs de magazines ont besoin de l'interprétation des événements. Ils comptent sur nous pour leur servir d'ombudsman. » Newman vole très haut. Est-il conscient qu'il fait partie d'une élite ? Combien de ses confrères, ici et ailleurs, se comportent comme des aventuriers dont l'unique préoccupation est de faire de l'épate ? Combien ne sont que des *minus habens* égarés dans une sphère pour laquelle ils n'ont aucune formation et pas la moindre affinité ? Que des gens de cet acabit s'arrogent le droit de bousculer tout le monde et de jouer aux oracles, voilà qui dépasse l'entendement. À la décharge d'un Newman, il en va de même de tous les métiers et de toutes les professions du monde, à cette différence près : les journalistes ont comme fonction de communiquer avec le grand public. Ils lui doivent le respect. Or, cela implique certaines normes de comportement. Voilà le hic.

Assez singulièrement, la presse n'a jamais eu, pour ainsi dire, bonne presse comme en ont témoigné les grands esprits. Attardons-nous quelques instants au verdict de quatre d'entre eux et cela sur une période de deux siècles et demi.

Goethe : « J'étais convaincu depuis longtemps que les gazettes sont faites uniquement pour amuser la foule et l'éblouir sur le moment, soit qu'une force extérieure empêche le rédacteur de dire la vérité, soit que l'esprit de parti l'en détourne : aussi n'en lisais-je aucune. »

Baudelaire : « Tout journal, de la première ligne à la dernière, n'est qu'un tissu d'horreurs. Guerres, crimes, vols, impudicités, tortures, crimes des princes, crimes des nations, crimes des particuliers, une ivresse d'atrocité universelle. Et c'est de ce dégoûtant apéritif que l'homme civilisé accompagne son repas de chaque matin. Je ne comprends pas qu'une main pure puisse toucher un journal sans une convulsion de dégoût. »

Valéry : « Ne lisez pas les journaux. [...] Ne croyez pas ce qui est imprimé. »

De Montherlant : « Lisons donc les journaux, mais dans le même esprit où nous lirions aujourd'hui des journaux d'il y a cinquante ans, en nous souvenant qu'un homme qui reste six semaines sans ouvrir un journal, loin que sa valeur humaine en pâtisse en quoi que ce soit, c'est là une véritable cure pour son imagination et son intelligence. »

Belle unanimité. Le commun des mortels n'a donc pas à être gêné de se sentir démoralisé en lisant le journal, en écoutant la radio ou en regardant la télévision. Personne n'a à se formaliser d'éprouver une réaction aussi normale. De même, il n'y a rien de honteux à éprouver la tentation chronique de vouloir se tenir à l'écart des médias. Mais il est vrai qu'il faudrait une âme d'ascète pour vivre en marge de son temps. Et serait-il sain de nous désolidariser de la société à laquelle nous appartenons et du monde entier dont nous sommes ? Le comportement des journalistes est souvent intolérable et leurs propos indigestes. Certes. Convenons tout de même que tout n'est pas perdu et que certains d'entre eux ont droit à notre estime.

Dans les meilleures conditions, c'est une dure contrariété que de se laisser persuader. Nous préférons et de loin retrouver chez les autres l'appui moral que nous procure leur adhésion à nos convictions sur quelque question que ce soit. Et c'est naturel. La confrontation nous cerne déjà de toutes parts. Comme l'air ambiant. Existerait-il une écologie mentale ? Tout porte à le croire. Il nous faut absolument maintenir un certain équilibre. Or les médias électroniques, mettant à profit leur ubiquité, déversent sans relâche leur torrent d'informations partout où nous nous trouvons. Impossible de leur échapper. Si notre exaspération tient à ce déluge de nouvelles, le traitement qu'on en fait a pour effet d'exacerber notre frustration. Et pour comble de malheur, la technologie de la communication continue d'évoluer à un rythme endiablé. On nous parle maintenant de l'autoroute électronique comme d'une panacée alors qu'elle constitue davantage et de loin une nouvelle menace et des plus accablantes — sans jeu de mot — pour notre quiétude et notre bien-être.

Si le journalisme, comme le dit si bien Bernard Pivot, « est le règne de l'éphémère et du volatil », comment expliquer la place qu'il occupe dans notre quotidien ? C'est peut-être qu'il en va de même de bien d'autres choses dans la vie. Mais il y a aussi en nous le besoin de connaître, de savoir et de communiquer. L'information, bonne ou mauvaise, vraie ou fausse, est un stimulant qui provoque de vives réactions selon qu'elle rassure, qu'elle inquiète ou qu'elle procure une immense satisfaction. Elle fait à ce point partie de notre existence que nous ne pourrions jamais nous en dissocier ou y être indifférent.

I

CAS TYPES

Le drame de Chaplin

De tous les personnages légendaires qu'aura produits le vingtième siècle, nul n'est plus attachant peut-être que Charlie Chaplin. Il connut assez rapidement la renommée et la fortune. Il se gagna par surcroît l'affection du monde entier.

Chaplin aurait pu, en toute légitimité, s'isoler dans le septième art et profiter de sa colossale réussite. Son altruisme fondamental le lui interdira. Le destin sera cruel envers lui. Par un curieux retour des choses, sa générosité et son désintéressement joueront contre lui : son armature morale deviendra son tendon d'Achille.

Le dictateur fut lancé le 15 octobre 1940, donc à l'apogée du règne d'une pléiade de despotes qui dominaient la scène mondiale, d'autant que, paradoxalement, les pays démocratiques étaient alors dans un état avancé de léthargie. Les sympathisants, les admirateurs des Salazar, Franco, Mussolini, Hitler et Staline étaient nombreux partout dans le monde et tout particulièrement aux États-Unis où l'infiltration était, selon Chaplin, profonde. Le même constat valait dans une certaine mesure pour les dictateurs de l'Amérique latine.

Il fallait au cinéaste une singulière dose de témérité pour se lancer ainsi par la satire à l'assaut de cette puissante caste. On n'offense jamais impunément les puissants de ce monde. Quant à l'Amérique, elle se plaisait toujours dans son isolationnisme. Il faudra attendre le 7 décembre de l'année suivante et la brutale attaque de Pearl Harbour par le Japon pour que l'opinion publique américaine, sous le coup du choc, sorte de sa complaisance.

Entre-temps, *Le dictateur* fut assez populaire auprès du public en dépit d'un accueil plutôt tiède de la presse new-yorkaise et franchement hostile de celle de Los Angeles, qui ne pardonnait pas à Chaplin d'avoir amorcé la campagne de publicité de son dernier film dans l'est du pays plutôt qu'en Californie. Néanmoins, il y avait tout lieu de croire que ce genre d'incident, plus ou moins courant dans le monde du spectacle, serait sans lendemain.

Depuis le début de la deuxième grande guerre, Winston Churchill avait pris soin de tenir Franklin D. Roosevelt au courant de l'évolution du conflit en espérant que le président pourrait amener graduellement l'opinion publique américaine à intervenir militairement. Roosevelt éprouvait beaucoup de difficulté à convaincre ses compatriotes de sortir de leur isolement et à leur faire admettre la nécessité pour les États-Unis de contribuer de façon substantielle à l'effort de guerre. L'attaque surprise de Pearl Harbour marquera le point tournant. Ce fut pour Churchill le moment tant attendu de rencontrer Roosevelt à Washington et de le persuader de l'urgence d'aider l'URSS à tenir le coup contre la puissante armée allemande. C'est précisément dans ce contexte que survint un événement extrêmement lourd de conséquences pour Charlie Chaplin.

L'ancien ambassadeur des États-Unis à Moscou, Joseph E. Davies, devait s'adresser à une immense assemblée de dix mille personnes réunies à San Francisco sous les auspices de l'American Committee for Russian War Relief. Atteint de laryngite, l'orateur dut se désister à la onzième heure. En désespoir de cause, on fit alors appel à Charlie Chaplin qui accepta candidement de relever le défi*. Comment aurait-il pu imaginer dans quelle galère il allait s'embarquer ?

Il n'eut que le temps de se rendre à San Francisco. Aussitôt arrivé, il fut pris dans l'engrenage social, ce qui ne lui laissa guère de temps pour préparer son allocution. Au moment d'entrer en scène, il fut prévenu qu'une heure complète avait été retenue pour la diffusion en direct de l'événement à la radio alors que, dans son esprit, il croyait ne devoir tenir le micro que cinq ou six minutes ! Chaplin fut soulagé de voir le maire de la ville le précéder au podium. Hélas, le magistrat fut très bref, se bornant à dire prudemment : « Nous devons vivre avec le fait que les Russes sont maintenant nos alliés ! » Quelle douche d'eau froide ! De toute évidence, on s'en remettait au grand comédien pour enflammer le vaste auditoire et, ce qui n'était pas négligeable, les soixante millions d'auditeurs !

---

* Dans son autobiographie, Chaplin omet de dire que la requête venait de Roosevelt. Cette précision nous vient de Graham Greene.

Acculé au mur, Chaplin opta pour le traitement de choc. Son premier mot — appelé à rester célèbre — fut un retentissant « Camarades ! » Et la salle de s'écrouler de rire dans l'attente de quelque chose d'excitant. Et, doublant la mise : « Et je veux bien dire camarades ! » Ce fut aussitôt l'ovation debout. « J'ai l'impression qu'il y a beaucoup de Russes ici ce soir ! » Un tonnerre d'applaudissements suivit. Le grand comédien n'en demandait pas tant. Vite la sourdine : « Je ne suis pas un communiste. Je suis un être humain et je pense que je connais les réactions des êtres humains. Les communistes ne sont pas différents des autres. S'ils perdent un bras ou une jambe, ils souffrent. Et ils meurent comme nous. Et la mère communiste est comme toutes les mères, lors-qu'elle reçoit la nouvelle tragique que ses fils ne revien-dront pas, elle pleure comme font toutes les autres mères. Je n'ai pas à être communiste pour savoir cela. J'ai seulement à être un être humain pour le savoir. En ce moment même, combien de fils russes meurent et com-bien de mères russes pleurent ?... »

Normalement, la presse aurait dû être unanime à louanger l'orateur pour sa compassion et son sens huma-nitaire. Paradoxalement, ce fut pour Chaplin le début d'un long *crescendo* : sa montée au calvaire. Il devint dès lors une cible de choix. Son appel pathétique pour un second front au secours des Soviétiques malmenés par les hordes hitlériennes eut moins d'impact que la rumeur pernicieusement amplifiée par les médias qu'il était *com-muniste*. N'avait-il pas, et plus d'une fois, utilisé le terme honni de camarade ? Subséquemment, lors de conférences de presse ayant trait à son métier, il eut, inlassablement, à répondre à la question : « Êtes-vous communiste ? »

Chaplin tentera de s'expliquer en répliquant que le mot se trouvait au dictionnaire et que les Russes ne jouissaient pas d'exclusivité en la matière. Rien n'y fit.

Un malheur n'arrive jamais seul. De fâcheuses coïncidences viennent parfois gâcher l'atmosphère et accréditer rumeur, ragot ou calomnie. Ainsi en fut-il pour Chaplin dont les mariages successifs avaient depuis des années été autant de prétextes à diffamation contre lui. Les puritains réclamaient depuis longtemps rien de moins que son expulsion des États-Unis. L'incident de San Francisco fournissait à ses détracteurs une arme nouvelle dont ils n'allaient pas se priver dans la poursuite de leur cause. Le fait pourtant bien établi que, dès 1943, à la suite de son mariage avec Oona, fille du célèbre dramaturge Eugene O'Neill — union dont naîtront sept enfants — Chaplin avait mené une existence exemplaire ne suffisait pas à freiner le mouvement croissant d'hostilité de la presse américaine à son égard. Il faut rappeler, par ailleurs, que le climat se gâtait aux États-Unis et que le terrain devenait graduellement mûr pour l'éclosion du maccarthysme qui allait survenir en 1952 et ébranler dans ses fondements le pays tout entier.

Un an après Pearl Harbour, le président Roosevelt redoubla d'effort pour l'ouverture, devenue impérieuse, d'un second front. Il pesait de tout son poids pour que se tiennent des manifestations publiques de nature à promouvoir cette cause auprès de ses *fellow americans*. Quant à Charlie Chaplin, il « se sentit pris dans l'avalanche politique ». Il participa ainsi à nombre de rassemblements dont celui du Madison Square Park, à New York, où il s'adressa à une immense foule représentative de toutes les strates de la société, notamment, les travailleurs syndiqués et les vétérans. Son discours, plus courageux que jamais, se situait déjà à un tout autre niveau : « La démocratie survivra ou mourra sur les champs de bataille de la Russie. Le sort des nations alliées est entre les mains des communistes. »

Et l'orateur de brandir le spectre de la domination nazie en Europe, en Asie et éventuellement dans le monde entier. Cet homme n'avait pas froid aux yeux. D'autres vedettes, Pearl Buck et Orson Welles, entre autres, se joignirent à lui à l'occasion, mais de façon beaucoup plus retenue, de crainte sans doute d'être à leur tour malmenées par les médias toujours à l'affût de barouf. Il ressort clairement que Chaplin était devenu d'emblée la figure de proue de la campagne en faveur d'un second front, ayant été le premier à monter sur l'estrade et s'étant exprimé de loin avec le plus d'autorité et de vigueur.

En homme intelligent, il s'est interrogé sur son comportement. Il l'avouera sans ambages : « Jusqu'à quel point aurais-je été stimulé par l'acteur en moi ? Me serais-je mêlé de cette aventure à la Don Quichotte si je n'avais pas fait un film antinazi ? [...] Je présume que tous ces éléments sont entrés en ligne de compte, mais ma haine et mon mépris pour le nazisme l'ont remporté. »

Misant inlassablement sur le passé conjugal tumultueux de Chaplin, ses ennemis continuèrent avec acharnement à lui tendre des traquenards juridiques. Le gouvernement des États-Unis sera même de connivence avec eux dans une poursuite ayant trait à une loi obscure, *The Mann Act*, selon laquelle Chaplin était techniquement vulnérable, selon l'interprétation que pourrait en donner un jury. En cas de condamnation, cela lui aurait valu une peine de vingt ans de prison. Or, c'est de justesse que Chaplin échappa à ce péril.

Pour comble de malheur, il eut à faire face à un autre procès relativement à une liaison antérieure. Il s'agissait évidemment d'une poursuite de paternité. C'était un coup monté. Un test sanguin permit à l'accusé de s'en tirer indemne. Les médias continuèrent, néanmoins, à le traiter sans merci comme s'il avait perdu sa cause. Cette période de sa vie lui parut « une histoire à la Kafka ».

Pendant toute la durée de ces procès, soit quatorze mois, la presse n'aura cessé d'être implacable envers lui. Fort du dénouement heureux, croyait Chaplin, « la presse aura maintenant à dire la vérité ». Ce en quoi il se trompait. « Lorsqu'on est honnête, on ne soupçonne pas les autres de ne pas l'être », avait dit Cicéron. La suite des événements est lamentable.

Comme une lame de fond, la hargne atteignit des dimensions invraisemblables. Ainsi *Les feux de la rampe* (1952) — un film candide comme il y en a eu peu — sera boycotté aux États-Unis. La crise du maccarthysme avait atteint son paroxysme : Chaplin — *of all people* — sera déclaré *persona non grata* et forcé de quitter le pays après quarante ans de séjour ! Il éprouvera même beaucoup de mal à se procurer ses papiers d'identité et son passeport pour être autorisé à quitter le pays et à séjourner en Europe. La récupération de ses biens deviendra un objet d'angoisse. Enfin, traqué comme un criminel, il devra se cacher dans sa cabine de paquebot, amarré dans le port de New York, avant que le navire puisse gagner la haute mer.

C'est en Angleterre, son pays d'origine, qu'il se rendra d'abord. Il y sera reçu avec chaleur et avec tous les égards dus à un grand artiste. En France, peu après, il sera accueilli comme un héros. Mais c'est en Suisse, finalement, que Chaplin et sa famille s'établiront de façon définitive.

Étrange destinée que celle de ce grand acteur, de ce créateur, de cet homme essentiellement sensible et généreux qui, grâce à son génie, a tellement apporté à l'humanité. Proscrit par la presse, c'est à elle qu'il devra d'avoir repris à son propre compte et face à la postérité le rôle de Charlot le vagabond, le héros pathétique qui n'a jamais cessé de dénoncer l'injustice, l'hypocrisie et la violence et qui incarnait l'être opprimé qui triomphe de l'adversité par son sens inné de la dignité et de la liberté.

Tous les films de Chaplin connaissent une fin heureuse. Chaplin n'allait pas rater celle de sa propre vie. Magnanime, il acceptera un quart de siècle plus tard de revenir en Californie pour y recevoir un Oscar.

L'affaire Waldheim

Kurt Waldheim fut secrétaire général de l'Organisation des Nations unies (ONU) de 1972 à 1981. Pour accéder à ce poste, il a dû satisfaire aux critères les plus stricts d'admissibilité des cinq pays jouissant du droit de veto au sein du conseil de sécurité, soit les États-Unis, l'Union soviétique, la France, la Grande-Bretagne et la Chine. C'était pendant les années les plus dures de la guerre froide et le souvenir de l'invasion de l'URSS par la Wehrmacht sur l'ordre de Hitler était encore vif dans ce pays. Jamais l'Union soviétique n'aurait soutenu la candidature d'une personne au passé politique le moindrement douteux pour un poste aussi prestigieux et stratégique. Au reste, on peut être certain qu'une enquête minutieuse fut menée, pour les mêmes raisons, également par les autres membres du conseil de sécurité. Or, Kurt Waldheim ne rencontra pas la moindre opposition à sa candidature. Il fut élu à l'unanimité et il connut une brillante carrière à l'ONU, à l'issue de laquelle il rentra dans l'ombre.

Cinq ans plus tard, le poste de président de la république autrichienne devint vacant et l'ancien secrétaire général se porta candidat. Pour le discréditer auprès des électeurs, ses adversaires politiques évoquèrent le fait qu'il avait été dans l'armée allemande lors de la dernière guerre. Il n'y avait pas matière à nouvelle ou atteinte à son intégrité puisque tous ses compatriotes d'âge à servir sous les drapeaux avaient été conscrits, y compris son prédécesseur à la présidence, Rudolf Kirchschlager, capitaine dans la même armée alors que Waldheim n'avait été que lieutenant. Bref, pareille accusation relevait davantage de la démagogie, souvent inévitable en période de campagne électorale, que de preuves incriminantes.

Puis, la rumeur fut lancée que le jeune officier Waldheim avait été lié aux atrocités commises par les nazis et elle se métamorphosa instantanément en *scoop* lorsque le périodique allemand à grand tirage, *Der Spiegel*, publia un « document » incriminant Waldheim. Le pseudodocument se révéla faux à l'examen et fit l'objet d'une rétractation officielle par la suite. Mais le mal était fait. Les médias américains s'emparèrent de l'allégation sans tenir compte du démenti. Dès lors, le monde entier devint témoin d'une campagne de salissage sans précédent depuis la célèbre affaire Dreyfus. Et, dans l'escalade qui s'ensuivit, on traita couramment Waldheim d'ancien nazi et de criminel de guerre.

Si Kurt Waldheim avait été compromis de quelque façon avec les nazis, jamais il n'aurait pu être élu secrétaire général de l'ONU, comme nous l'avons vu. Or, il a été réélu à ce poste pour un deuxième mandat. Et, dans l'hypothèse de sa culpabilité, comment aurait-il pu échapper à la vigilance de son concitoyen viennois,

Simon Wiesentahl, à qui Adolf Eichman et un grand nombre de criminels de guerre nazis devaient d'avoir été retrouvés, jugés et condamnés ? Par surcroît, le célèbre chasseur de nazis s'était toujours déclaré formel quant à l'innocence de Waldheim. Rien n'y fit. Ce fut le tollé.

On a demandé à Waldheim pourquoi il n'avait pas intenté de poursuite en libelle diffamatoire contre les journaux américains qui s'étaient prêtés à cette odieuse machination. « Comment faire confiance au système judiciaire américain ? », répondit Waldheim qui cita en exemple le cas du général Sharon, d'Israël, qui avait poursuivi le magazine *Time*. La cause avait duré des années et elle n'avait valu à la victime qu'une victoire à la Pyrrhus. La tenue des élections présidentielles était si proche que toute démarche en ce sens eût été futile.

Cette attaque aussi virulente qu'imprévisible contre sa réputation lui fut évidemment pénible : « Ils me couvrent d'immondices et ils trouvent que j'empeste », déclara-t-il à un moment donné et non sans indignation. « Je suis propre ! » Que pouvait-il dire d'autre ? Il fut élu avec une confortable majorité et les médias, demeurés implacables dans leur attitude, prirent aussitôt l'Autriche à partie.

Quel traitement a-t-on accordé dans nos médias à l'affaire Waldheim ?

Faute d'un survol complet de la presse locale, imprimée et électronique, qui serait souhaitable mais qu'interdit le cadre de cet exposé, voyons comment *La Presse* s'en est tirée dans la couverture de cette cause célèbre. Par souci de comparaison, il sera également question d'un grand journal international, *The Manchester Guardian*.

Dans un premier temps, *La Presse* fit appel au journaliste Claude Moniquet qui y alla d'une charge en règle accusant Waldheim de « mensonges » et l'Autriche de « complicité ». La mise en page était du même ordre. Le titre d'abord, dominant la page sur toute sa largeur : « Waldheim : un cas de mémoire sélective », et, ensuite, une photo sur quatre colonnes avec la légende suivante — extraite de l'article en question — : « L'Autriche sera sans doute demain le seul pays d'Europe à avoir à sa tête un ancien nazi. »

Le lecteur a eu droit à une thèse séduisante élaborée par le journaliste sur « l'austro-fascisme », avec, comme toile de fond, l'évolution de l'Autriche depuis l'écroulement de l'empire austro-hongrois et l'avènement de « l'Anschluss », soit l'annexion du pays à l'Allemagne par Adolf Hitler, le 13 mars 1938. Le scénario se terminait brillamment dans une apothéose : « L'affaire Waldheim, décidément, porte moins sur le passé d'un homme que sur la manière dont ses concitoyens, aujourd'hui, regardent leur propre passé. Celui de tout un peuple. » Et pour renforcer un verdict déjà irrévocable à ses yeux, comme si la preuve en avait été faite : « Le mal pour eux n'est pas d'avoir été nazi (*sic*) mais bien de dénoncer aujourd'hui, en 1986, ceux qui le furent. De tous ces sentiments troubles, l'état-major de Waldheim a su jouer à la perfection. »

Le *Manchester Guardian*, de son côté, a consacré une page entière, le 16 août 1987, à l'affaire Waldheim. Le prestigieux journal en avait confié la responsabilité à Hella Pick qui a eu l'insigne avantage de s'entretenir avec le président nouvellement élu. Sous le titre astucieux « Waldheim insists he is at ease with himself »

(« Waldheim se sent en paix avec lui-même »), la journaliste, totalement insensible au propos de son interlocuteur, et à l'instar de son collègue français, jouera la carte de la collaboration de l'Autriche. Quant à Waldheim, il aura eu une fois encore à naviguer à contre-courant. Néanmoins, l'entrevue aura permis au diplomate de faire certaines mises au point. Nous en avons retenu deux. Voici la première : « J'ai été démocratiquement élu à la tête de la nation. Je ne me mêle pas du choix des chefs d'État ailleurs et nous, en Autriche, nous réclamons le même droit pour nous. Nous sommes une nation démocratique et nous ne permettrons pas aux autres de déterminer qui devrait être notre chef d'État. »

Conscient que la réputation de l'Autriche avait été ternie dans cette campagne de diffamation dont il avait été personnellement l'objet et soucieux de profiter des circonstances pour redorer le blason de son pays, il fera une déclaration solennelle : « L'Autriche a été reconnue après la guerre par les grandes puissances comme la première victime de l'agression nazie et elle a atteint depuis un statut dont elle a toutes les raisons d'être fière. »

En Angleterre et dans tous les pays de constitution britannique, un accusé est toujours considéré comme innocent jusqu'à ce que la preuve de sa culpabilité ait été faite. Ce principe fondamental ne semble pas avoir préoccupé la journaliste dans sa démarche. *Primo*, elle doute que l'Autriche ait vraiment été victime de l'agression nazie ; *secundo*, elle se demande si ce pays reconnaît aujourd'hui sa part de responsabilité dans la persécution de la communauté juive autrichienne ; *tertio*, poussant la charge un cran plus loin que son homologue français, elle ne croit pas que l'Autriche ait appris de son passé à être une société tolérante capable d'assumer son « consensus politique », sans préciser ce qu'elle entendait par là.

La Presse, dans un deuxième temps, le samedi 21 janvier 1989, publiait un article de Louis Wiznitzer qui faisait le point sur l'affaire Waldheim. La direction du quotidien s'était-elle interrogée sur la tournure des événements depuis l'élection du diplomate à la présidence de l'Autriche ? Ou est-ce que son collaborateur de longue date lui avait soumis de son propre chef un texte ? Quoi qu'il en soit, c'est tout à l'honneur du journal d'avoir posé un geste concret pour rendre compte de façon plus équitable d'un dossier jusque-là malmené par un correspondant plus soucieux de briller par sa thèse que d'établir les faits et les preuves.

Le titre témoignait d'une perspective diamétralement opposée au parti pris de Claude Moniquet : « L'affaire Waldheim se termine comme un pétard mouillé. » Le premier paragraphe vaut d'être cité *in extenso* : « Deux années après que les médias occidentaux eussent entrepris de faire le procès du président autrichien qu'ils accusaient d'avoir commis des crimes de guerre aucune preuve n'a pu être découverte contre lui. »

Et Louis Wiznitzer de mentionner deux instances internationales qui, saisies de ce dossier, avaient l'une et l'autre reconnu l'innocence de Waldheim. Précisons.

Le 8 février 1988, une commission d'enquête composée de six historiens de renommée mondiale (dont le professeur Jehuda Wallach, de l'université de Tel Aviv, Manfred Messerschmidt, directeur de l'institut d'histoire militaire de Freibourg, Vanwelkenhuyzen, de l'institut belge de recherche qui a mené une enquête en profondeur sur les activités de Waldheim dans les Balkans) prononçait son verdict : « Nous n'avons trouvé aucune preuve de sa culpabilité — il n'a été ni un bourreau, ni un nazi, ni un antisémite. »

Le 5 juin 1988, un procès télévisé, organisé par une entreprise de production de télé britannique comprenant cinq juges (dont Sir Frederic Lauton, de la cour d'appel de Grande-Bretagne, Shirley Hifstedler, de la cour suprême de Californie, Gostaf Petren, de la cour administrative de Suède) se termina, au bout de quatre heures, par le verdict suivant : « Waldheim est innocent. » Auparavant, pendant un mois, les jurés avaient interrogé des dizaines de témoins et étudié des centaines de documents.

Bref, il appert que Kurt Waldheim a bel et bien été victime d'une diffamation dans la meilleure tradition de la chasse aux sorcières. Pourrait-on jamais évaluer l'angoisse, la frustration et le sentiment profond d'injustice qu'aura connus cet homme ? Et à cela vinrent s'ajouter les conséquences fâcheuses qu'il eut à endurer en raison du verdict injuste et pourtant irrévocable que lui rendit la presse internationale.

Depuis 1978, il existe aux États-Unis une loi, l'amendement Holzman, qui prescrit que toute personne ayant directement ou indirectement pris part à des activités racistes se voit automatiquement mise au ban du pays. Conformément à cette loi, l'ancien secrétaire général de l'ONU — élu, rappelons-le, avec l'assentiment des USA — résident de New York pendant dix ans, par la suite élu démocratiquement président de la république autrichienne, s'est trouvé sur la liste de surveillance des autorités de l'immigration américaine et, de ce fait, privé du droit d'entrée aux États-Unis et, par voie de conséquence, aux Nations unies dont son pays était membre. Sous quel chef d'accusation ? est-on en droit de se demander. En vertu d'une technicité désarmante : l'enquête sur le lieutenant Waldheim ayant révélé que l'unité militaire à laquelle il avait appartenu durant la guerre se trouvait « proche » du lieu où des crimes avaient été commis, d'où le doute qui planait sur sa personne.

Les Nations unies ont célébré leur cinquantième anniversaire au début de 1995. Kurt Waldheim, qui fut secrétaire général de cet organisme pendant dix ans, n'a pu se rendre à New York pour participer aux célébrations de l'événement étant donné que l'ancien diplomate, pourtant innocenté des accusations injustement portées contre lui par les médias, et aujourd'hui président de l'Autriche, est toujours considéré comme une personne *non grata* aux États-Unis d'Amérique où se trouve le siège de l'ONU.

La mort de Nationair

Dans sa revue de l'année 1993, publiée la veille de Noël, *La Presse* résumait l'élimination de Nationair, sous la rubrique « Économie », de la façon la plus fantaisiste : « Trois vice-présidents de Nationair démissionnent en disant que la compagnie ne répond pas à leurs exigences professionnelles. Peu après, Nationair doit recourir à la nouvelle loi fédérale sur l'insolvabilité afin de rassurer ses employés et sa clientèle. Mais l'inévitable survient : une première requête en faillite est déposée contre Nolisair, société mère de Nationair. »

Aucune relation de cause à effet dans ce résumé. Le 31 décembre suivant, sous la signature de Valérie Beauregard, dans un article intitulé « Les grands disparus de l'année 93 », se trouvait un entrefilet un peu plus vraisemblable : « En début d'année, les déboires de Nationair nous ont tous tenus en alerte. Acculée au mur, Nationair s'est adressée au gouvernement fédéral, mais ses démarches n'ont pas été fructueuses. Le 31 mars, le transporteur cessait de voler. Le 12 mai, Nolisair (Nationair) déclarait faillite, tandis que sa petite sœur Technair (qui possédait un hangar à Mirabel) faisait de même le 12 octobre. »

Le dossier Nationair a été incroyablement malmené par les médias qui ont froidement assumé, en l'occurrence, le rôle de catalyseur de catastrophe. « Je craignais le branle-bas médiatique », avouera honnêtement Robert Obadia, le fondateur et p.-d. g. de l'entreprise, dans son ouvrage *Nationair, un succès assassiné*, publié en 1993, chez Vaugeois éditeur.

De nos jours, les gouvernements investissent des dizaines, voire des centaines de millions, pour la création au sein d'une entreprise nouvelle d'un nombre souvent infime d'emplois. Or, Nationair c'était, d'une part, deux mille cinq cents emplois directs et indirects et, d'autre part, quarante millions de dollars versés annuellement aux gouvernements. Nationair était loin d'être en aussi mauvaise posture financière qu'on a cherché à le faire croire.

Lors de la privatisation d'Air Canada, le gouvernement fédéral a radié une dette de sept cents millions de dollars. Par ailleurs, Canadien, une entreprise en difficulté financière, a soutiré du même gouvernement une première somme de trois cents millions de dollars et une deuxième de soixante millions, sans compter l'achat « pour les forces armées » de trois appareils Airbus au coût de deux cent quarante millions, soit à un prix, semble-t-il, au-dessus de leur valeur marchande.

Dans un tel contexte de sauvetages à prix d'or, comment ne pas donner raison au p.-d. g. de Nationair qui, indigné, a commenté ce qu'on pourrait appeler l'intransigeance arbitraire du gouvernement fédéral : « Étrange que les quelques millions dus par Nationair eussent pu déséquilibrer l'industrie mais que ces centaines de millions octroyés à Canadien eussent eu l'effet contraire. »

C'est au nom de la concurrence que le gouvernement a soutenu Canadien. « Mais, de rétorquer Obadia, au nom de quel principe a-t-on laissé Air Canada et Canadien évincer ceux qui ont voulu faire une véritable concurrence ? Deux poids deux mesures. » Et il poursuit en posant une question cruciale aux autorités gouvernementales : « Pourquoi cette passivité équivalente à une complicité du ministère des Transports devant cette hécatombe de transporteurs dynamiques et courageux qui ont commis l'erreur de vouloir offrir un meilleur service à un meilleur prix que les vieux transporteurs ? » *Exit* Wardair, Intair, City Express et Nationair.

En 1987, Nationair assurait la liaison Montréal-Bruxelles pour deux cent quatre-vingt-dix-neuf dollars. Les profits étaient de l'ordre de dix millions et le chiffre d'affaires de quatre-vingt-dix millions. Quant à l'année 1993, elle s'annonçait non pas désastreuse mais prometteuse pour Nationair en raison de contrats déjà signés avec l'Arabie Saoudite et l'Indonésie. De quoi, évidemment, inquiéter les grands transporteurs qui voyaient d'un mauvais œil ce concurrent coriace. Mais c'est en fait au niveau des tarifs que le problème se posait pour les grands transporteurs. Alors que ces derniers imposaient des tarifs prohibitifs sur des destinations comme Montréal-Toronto et Montréal-Chicoutimi pour subventionner la concurrence internationale, les transporteurs trouble-fête ci-haut mentionnés faisaient la preuve de la rentabilité des taux économiques. Conclusion ? Il leur fallait à tout prix et par tous les moyens éliminer les transporteurs intermédiaires. Ce serait bientôt chose faite.

Ces derniers, à vrai dire, n'ont jamais eu la vie facile. Ainsi, Nationair a-t-elle mis quatre ans à vaincre l'inertie du ministère des Transports pour obtenir son permis. « N'entre pas qui veut, dit Robert Obadia, au Club sélectif du transport aérien. »

Le premier vol de Nationair eut lieu le 19 décembre 1984. Au début, la jeune entreprise se limitait à deux vols hebdomadaires en DC 8. Dès 1989, elle faisait l'acquisition de deux Boeing 747. En 1992, la compagnie en était à cinq vols hebdomadaires dont trois en Boeing 747. L'équation de tarifs économiques et de l'excellence du service faisait boule de neige. Nationair n'échappa pas à la flambée des prix du pétrole : de cent soixante dollars, la tonne métrique est passée à cinq cent vingt-cinq, soit de cinquante cents à un dollar trente le gallon américain. La compagnie s'en est tirée par l'évacuation massive de personnes expulsées d'Irak lors de la guerre du Golfe.

Mais le point tournant pour Nationair, assez curieusement, fut son long et pénible conflit avec ses agents de bord. Toutes les compagnies aériennes ont eu, à un moment donné, à faire face à ce genre de grève. Jamais, toutefois, aucune d'entre elles n'aura interrompu pour autant ses activités. Rien ne laissait présager qu'un tel conflit pourrait avoir d'aussi fâcheuses conséquences pour l'avenir de la compagnie.

Les agents de bord de Nationair faisaient partie de la division aérienne du Syndicat canadien de la fonction publique (SCFP) dont la section québécoise était affiliée à la Fédération des travailleurs du Québec (FTQ). Or, vingt-cinq pour cent des actions d'un concurrent de Nationair, Air Transit, étaient détenues par le Fonds de solidarité de la FTQ. Cette situation équivoque avait été relevée par un observateur neutre, Jean-Paul Gagné, du magazine *Les Affaires*, en 1992. « La FTQ joue avec le feu », avait-il écrit. Effectivement, la FTQ fut très active dans ce conflit. Elle en vint même à appuyer le boycott de Nationair par tous les moyens à sa disposition.

Avant même l'échéance de la convention — c'était en décembre 1990 — et pour bien démontrer sa détermination, le SCFP, dont le président était, incidemment, à l'emploi d'Air Canada, fut responsable de l'abandon d'un appareil et de ses passagers à Fort Lauderdale, en Floride. Ce geste inusité et irresponsable avait causé des retards de vingt-quatre heures sur quatre vols différents, affecté deux mille passagers et occasionné à Nationair des pertes d'un demi-million de dollars. Comme Nationair avait déjà fait l'objet d'une campagne de dénigrement bien orchestrée au chapitre des retards, l'action syndicale fut particulièrement dommageable. Néanmoins, la compagnie attendra jusqu'au 15 novembre de l'année suivante avant de recourir au lock-out. Des agents de remplacement prirent la relève et le taux de satisfaction du public passa aussitôt à quatre-vingt-seize pour cent.

Le SCFP, par le biais des médias, lança une campagne contre Nationair, campagne qualifiée de « dévastatrice » par Obadia et mettant en cause les normes de sécurité de la compagnie. Pendant ce temps-là, un nombre record de parents et d'enfants de ces mêmes agents de bord (en grève) voyageaient gratuitement aux frais de Nationair !

La question principale du litige portait évidemment sur les salaires. Le syndicat prétendait que les agents de bord recevaient quatorze mille cinq cents dollars par an. Ils étaient en fait payés entre dix-huit mille et vingt-quatre mille dollars par an. Le chiffre avancé par la partie syndicale correspondait à la moyenne établie entre les emplois à temps plein et les emplois saisonniers. Or, l'industrie des charters est essentiellement saisonnière et elle repose sur deux saisons, l'hiver et l'été. Un certain nombre d'agents de bord travaillaient donc à temps partiel, mais ils touchaient leurs prestations d'assurance-chômage pendant les mises à pied saisonnières. Le syndicat s'était bien gardé de faire état de cette donnée. Les conflits de travail comportent inévitablement ce genre de difficultés qui tiennent aux tactiques de la guérilla. Les vexations abondent de part et d'autre en temps de grève et de lock-out.

Pendant les trois années de ce conflit, les médias furent attentifs à la cause syndicale. Cela tient en partie au fait que les syndicats sont rompus à ce jeu et disposent de réseaux de communication développés au cours des décennies contrairement au patronat souvent méfiant, mal organisé et maladroit en la matière. Chose certaine, ce conflit donna lieu à un battage impitoyable de publicité négative à l'endroit de Nationair. Il y eut une collusion de plusieurs éléments contre ce transporteur et son p.-d. g. Pareille saturation médiatique, c'est-à-dire, à ce point unilatérale, ne peut être que le prélude à l'hécatombe.

Dans l'opinion publique, Nationair s'identifiait assez bien à Wardair, les deux entreprises étant tenues en haute estime par le public voyageur à l'affût de services et de tarifs défiant toute concurrence. L'une et l'autre comblaient un vacuum dont les transporteurs nationaux ne se souciaient guère pour la simple raison que pareille politique eût été contraire à leurs intérêts. Où est donc passée la notion de l'intérêt public ? Et les médias, particulièrement la télévision qui aime tellement jouer les chiens de garde pour monsieur-tout-le-monde, comment ont-ils pu se laisser endormir ou manipuler à ce point ? Où est passé le *fairplay* ? N'est-il pas le commun dénominateur sur lequel reposent les échanges sociaux, économiques et politiques ?

Robert Obadia avouera candidement avoir concentré tous ses efforts sur la gestion interne, croyant, à tort semble-t-il, que « ce monde fonctionne avec des critères objectifs ». Par exemple, écrivait-il, « Nationair crée 2500 emplois, c'est bon », ou « Nationair fait économiser aux passagers Montréal-Toronto 300 dollars par aller-retour, c'est bon ». Malheureusement, les choses ne se passent pas nécessairement ainsi car d'autres facteurs entrent également en jeu et peuvent s'avérer déterminants. Ainsi en fut-il d'une longue campagne de presse menée systématiquement, non pas par les médias eux-mêmes — si ce n'est passivement — mais par les parties interposées qui avaient avantage à se défaire de ce transporteur gênant. Obadia finira par se rendre à l'évidence en faisant un aveu assez révélateur : « Je n'ai pas recherché à tout prix la sympathie des médias et ils me l'ont bien rendu. »

Quelles furent les composantes de l'attitude négative des médias envers Nationair ? D'abord et avant tout, la grève des agents de bord : la compagnie se devait de régler ce conflit qui avait trop duré. Jamais la presse n'a fait état des demandes additionnelles du SCFP chaque fois que se présentait un espoir de règlement.

On se moqua, par ailleurs, et de façon abusive des soi-disant « vieux DC-8 » de Nationair. Or, ces DC 8 n'étaient pas plus démodés que les DC 9 d'Air Canada qui sont toujours en service et qui le resteront encore longtemps.

Les retards occasionnels de Nationair faisaient toujours l'objet de manchettes alors que ceux des concurrents étaient passés sous silence. On propageait des rumeurs sur les mesures de sécurité, à la suite du crash de Djeddah, alors que l'accident avait été provoqué par une cause extérieure ayant trait à l'état de la piste d'atterrissage. On a parlé de mauvaise gestion — nous y reviendrons — et même de la « fuite » du p.-d. g. hors du pays, autant de faussetés que ses détracteurs pouvaient propager à volonté.

L'initiative ne venait pas tellement des médias, même si ces derniers ont fait preuve de complaisance, que des détracteurs. Ainsi, les hôteliers du Sud, de même que l'Arabie Saoudite et l'Indonésie avec qui des contrats de vols nolisés avaient été signés pour le compte de Nationair, furent systématiquement alimentés de coupures de presse défavorables. Les conséquences ont été désastreuses. En complément, il y eut des gestes de xénophobie et d'antisémitisme déplorables, par exemple, des graffitis sur les appareils. Enfin, pour couronner la liste des procédés vexatoires auxquels se sont prêtés les détracteurs, il y a eu trahison au sein de l'exécutif de la part de personnes soucieuses d'assurer leur avenir. *La Presse* leur a donné une importance démesurée, comme nous l'avons vu dans sa revue des événements de fin d'année. La télévision, il fallait s'y attendre étant donné son penchant à tout dramatiser, en a fait les stars d'un soir.

Les médias ne se sont aucunement montrés attentifs aux rectifications de Nationair. En d'autres termes, ils ont agi comme si la situation était perdue d'avance et sans recours. Pourtant, les éléments positifs, de prétendre Obadia, ne manquaient pas. Dès février 1993, Nationair avait obtenu un report de dette d'environ six millions de dollars de l'International Lease Finance Corporation dont le vice-président, Louis Gonda, avait alors tenu des propos prophétiques à Obadia : « Si les médias ne parlent pas de Nationair, vous avez toutes les chances de vous en sortir, mais si les médias décident d'exploiter vos problèmes, vous êtes fini. »

À la même époque, pour se donner des airs d'objectivité et camoufler sa mauvaise foi ou celle de son ministère, Jean Corbeil, le ministre du Transport, a exprimé publiquement le souhait d'en savoir plus sur Nationair. Une équipe de huit vérificateurs-comptables de la firme Raymond, Chabot, Martin, Paré et Associés fit une vérification des livres et se déclara favorablement impressionnée de la transparence avec laquelle Nationair était gérée. Jamais il ne fut question de cela sur la place publique, ce qui aurait grandement contribué à assainir le climat.

Dans son entrefilet du 31 décembre sur Nationair, *La Presse* faisait état du hangar de Mirabel, propriété de Nationair. Comme euphémisme, on ne pouvait faire mieux. Rétablissons les faits. Dès 1987, Nationair avait eu l'heureuse initiative de bâtir au coût de plusieurs millions de dollars un atelier d'entretien (assez grand

pour y accommoder les Boeing 747) à Mirabel qui en
était jusque-là dépourvu. Voilà qui devait parfaire les
installations d'un aéroport guère choyé à ce chapitre par
les deux grands transporteurs nationaux. Quand a-t-on
rendu publiquement crédit à Nationair pour cet apport
important à l'infrastructure de Mirabel ? Or, le plan de
redressement financier, soumis en dernier ressort au
gouvernement canadien reposait sur l'acquisition par le
gouvernement de cet atelier au coût de dix-sept millions
de dollars, moyennant un contrat de location de vingt
ans à Nationair. La proposition fut rejetée. Comme
preuve de mauvaise foi, c'est concluant. Obadia avait
certes raison de conclure que « briser Nationair » était
devenu le mot d'ordre. Peu de temps après, c'en était fait
de Nationair.

Les séquelles d'une faillite ne peuvent être que
défavorables à la réputation d'un chef d'entreprise.
Robert Obadia n'y a pas échappé. Ses ex-employés, dont
environ la moitié seraient encore en chômage, le pour-
suivent en recours collectif pour les deux millions de
salaire qu'il ne leur aurait pas versés. La campagne de
dénigrement ne s'est pas arrêtée avec la faillite de Nationair. Obadia a dû se résigner à la faillite personnelle. On
lui en a fait grief.

«La loi sur les faillites a été faite pour permettre aux
gens de refaire leur vie. Pourquoi est-ce que ce serait
différent avec moi ? [...] Je dois travailler. J'ai une
famille à faire vivre ! », dit-il, excédé de tant de hargne
contre sa personne. Marié depuis 1966, sous le régime de
la séparation de biens, on va jusqu'à l'accuser d'avoir
changé de statut matrimonial. On voudrait confisquer la
résidence de sa femme, résidence dont il n'est pas

propriétaire et qui a été achetée avant l'existence de Nationair.

Le 10 janvier 1995, lors d'une assemblée, certains de ses ex-partenaires l'ont décrit comme l'homme « aux rapports humains staliniens ». Obadia y a vu un « lynchage en public ». La plupart des données qui précèdent proviennent d'un article intitulé « Le retour de Robert Obadia », sous la signature de Gérard Bérubé, publié dans Le Devoir du 28 janvier. Rappelons que, dans son ouvrage, Robert Obadia avait désigné Le Devoir comme l'organe de presse qui avait fait preuve du plus grand acharnement à son égard. Peut-être aurait-on réfléchi sur le dossier et convenu d'atténuer le ton en publiant deux ans plus tard un papier nettement plus équitable ?

Personne ne s'attendra à ce que Nationair, un succès assassiné, mentionné plus haut et écrit par son fondateur et p.-d. g., soit un exemple d'objectivité. Là n'est pas la question. Si seulement la moitié de la matière était véridique, la preuve serait déjà forte en sa faveur, non pas en ce qui a trait au jugement qui suivra le recours collectif — ce qui reste du ressort exclusif de la justice — mais en ce qui concerne sa présomption de victime de la campagne médiatique qu'il a subie.

J'ignorais personnellement l'existence même du personnage jusqu'à ce que les médias en aient fait état. J'ai trouvé scandaleuse la façon dont on a traité l'affaire Nationair dans les médias et odieux leur comportement envers Robert Obadia. L'observateur ou le spectateur neutre ne se retrouve-t-il pas invariablement du côté de l'opprimé ? Je le reconnais sans ambages, c'est exactement ce qui m'est arrivé. Pourtant, je n'ai jamais eu d'atomes crochus avec les gens d'affaires. Tout consommateur le moindrement averti craint tout le temps d'être exploité par les commerçants et les gens d'affaires, d'où une certaine suspicion instinctive. Aussi, ai-je toujours apprécié la parodie de Lysiane Gagnon, « le merveilleux monde des affaires ». On ne pourrait mieux décrire cette faune bien particulière dont on se méfie sans cesse. Admettons que les commerçants et les gens d'affaires sont tout de même essentiels au fonctionnement de toute société et cela depuis des temps immémoriaux. Et finalement, il n'en reste pas moins que dans un pays démocratique chacun a droit à la justice. Ce principe fondamental vaut pour tout le monde sans distinction.

II

TRAITS DU
QUATRIÈME POUVOIR

L'ère du journalisme

Les hommes ont toujours été fortement influencés par des castes. Il y a eu les prophètes, les philosophes, les grands prêtres, les médecins, les architectes, les ingénieurs, les écrivains, les avocats, les scientifiques. Personne n'aurait pu prévoir que les journalistes allaient un jour s'imposer dans cette prestigieuse lignée. Eh bien, c'est chose faite !

L'origine lointaine du journalisme remonte en l'an 59 avant l'ère chrétienne. L'*Acta Diurna*, comme son nom l'indique, était publiée tous les jours à Rome et affichée sur les murs des places publiques. On y faisait état des événements sociaux et politiques d'importance.

Quant au journal tel que nous le connaissons, c'est au pays de Johannes Gensfleish, dit Gutenberg, comme il fallait s'y attendre, qu'il fit son apparition vers 1609. Or, c'est plus de cent cinquante ans après l'invention de la presse à imprimer et de l'encre qui permettait l'impression sur les deux faces du papier. Ce retard est assez étonnant. Néanmoins, la presse allait bouleverser ce qu'on croyait être l'ordre des choses.

47

Aujourd'hui, cette force ascendante a pris un tel essor que nous l'appelons couramment le quatrième pouvoir. Ce nouveau pouvoir s'est inséré graduellement dans la structure sociale, politique et économique où son rôle est maintenant à ce point considérable que se pose pour nous la question de savoir s'il n'est pas devenu souverain. Si les opinions à ce sujet sont encore partagées, nombreux sont ceux qui croient qu'il s'agit d'un fait accompli. Il y a lieu de noter que tant que les magnats de la presse ont pu imposer leur diktat — ce qui n'a été qu'une longue étape transitoire — l'équilibre des institutions s'est maintenu. Dès que les journalistes, fermement soutenus dans leur démarche par le mouvement syndical, ont franchi le seuil de l'autonomie, le public a été témoin d'une régression sensible des institutions, les gouvernements en tête. Il faut toujours compter avec le principe des vases communicants. Mais sans l'évolution de la technologie, il est douteux que la presse écrite ait pu franchir seule toutes les étapes du pouvoir.

En 1901, survint l'historique liaison par radio Cornouailles-Terre-Neuve, au-dessus de l'Atlantique, fruit du travail du physicien italien Guglielmo Marconi qui avait construit plus tôt le premier poste de télégraphie sans fil. Les premières retombées bénéfiques de l'invention furent pour la navigation. Que de vies sauvées depuis par cette prodigieuse invention ! L'âge de la communication instantanée venait de naître et le monde ne serait plus jamais le même.

La British Broadcasting Corporation (BBC) fut créée en 1922. Elle est restée depuis lors le modèle le plus remarquable de ce qu'on était en droit d'attendre de ce nouveau média aux possibilités immenses. La prolifération dont la radio fit l'objet dans le monde fut phénoménale. La radio devint du jour au lendemain la rivale de la presse écrite à qui elle ravissait l'élément clé, le *scoop*.

De plus, elle ajoutait à l'instantanéité la voix humaine avec toute sa gamme d'émotions. Quel instrument de persuasion, voire de propagande, pour les vendeurs d'illusions ! Adolf Hitler en saisit vite la portée et, secondé de Joseph Goebbels, docteur en philosophie et *journaliste*, il en fera une arme redoutable pour sa mainmise sur le pouvoir en Allemagne. De ce côté-ci de l'Atlantique, le président Franklin D. Roosevelt s'en servira de façon fort habile pour persuader ses compatriotes des avantages du *New Deal*. Quant aux publicitaires, dont la voracité était restée inassouvie, ce fut pour eux une véritable mine d'argent. La mine d'or n'allait être découverte que plusieurs décennies plus tard.

C'est en Angleterre que la télévision allait venir au monde. La deuxième guerre mondiale en aura retardé l'éclosion. Puis, la télévision s'imposera de spectaculaire façon dans les années cinquante. L'engouement pour la télévision fut tel qu'on a craint, à un moment donné, pour la survie et de la presse écrite et de la radio. La télévision s'appropria aussitôt la part du lion. Mais comme dans la jungle, l'équilibre des espèces était assuré au départ. La presse écrite, la radio et la télévision furent forcées de cohabiter et de se partager l'unique marché de consommateurs. Ces derniers, stimulés sans doute par la lutte serrée que se livraient les trois concurrents, furent à la source de l'expansion considérable d'un marché qu'on croyait à tort saturé.

Étrangers à cette rivalité des médias, les consommateurs ont craint qu'ils seraient les victimes innocentes d'une guerre à finir. Ce en quoi ils se trompaient. Ils devinrent plutôt les témoins ébahis d'une coexistence pacifique. *Politics makes strange bedfellows.* Les hommes d'affaires savent pratiquer, eux aussi, ce précepte lorsque les circonstances les y contraignent. Les enjeux étaient si considérables qu'il leur fallait veiller au grain. En rétrospective et à l'époque de l'autoroute électronique, nous nous devons de reconnaître leur insigne clairvoyance. Concentration des médias, consortiums, répartition des actifs, s'imposaient déjà à leurs yeux comme les solutions de l'heure. Que penser désormais de leur soi-disant conservatisme ? Serait-ce un mythe ?

Contredisant l'une des principales prophéties de Marshall McLuhan, à savoir que l'électronique avait relégué l'imprimé au musée, le monde fut témoin du phénomène contraire : il y eut une prolifération considérable de magazines, de revues et de périodiques et un *boom* — qui n'a jamais cessé depuis — dans le domaine de l'édition du livre. Et par un juste retour des choses, l'informatique, en mal de contenu, a dû s'alimenter de livres ! Si seulement Gutenberg avait pu voir ça !

Quant aux agences de publicité, la télévision devint pour elles et au grand dam des téléspectateurs un vrai Klondike. Elles n'ont pas cessé d'exploiter ce riche filon depuis 1952. Non seulement les organismes publics de réglementation de la radiodiffusion (Bureau des gouverneurs de la radiodiffusion, BGR, et Conseil de la radio-télévision canadienne, CRTC) se montrèrent-ils accommodants envers elles, indirectement par le truchement des entrepreneurs privés, mais, hantés par le « modèle américain », ils ont honteusement sacrifié le concept de service public à l'exploitation des ondes pour des fins strictement commerciales. Ainsi en sommes-nous arrivés, au Canada, à la domination absolue de la pub sur la télévision. La télé privée ne s'était, à vrai dire, jamais cachée de son unique raison d'être, le profit. Elle n'a jamais été autre chose qu'une entreprise d'affaires. Tel n'était pas le mandat de la CBC-SRC (1936). Le CRTC (1968), héritier du BGR (1958), a poursuivi perfidement la voie tracée par le lobby des diffuseurs privés, la Canadian Association of Broadcasters (CAB), pour réduire à l'impuissance le service public national de radio et de télévision. L'inique rapport Applebaum-Hébert (Applebert) a méthodiquement creusé la fosse de la CBC-SRC en 1982*. Par la suite, les deux grands partis politiques du Canada, d'un commun accord, ont décrété l'arrêt de mort et ils ont appliqué discrètement et fermement le garrot.

Depuis cette époque pas tellement lointaine, nous assistons à un nouveau phénomène qui évoque l'*Apprenti sorcier*, soit l'arrivée sur le marché d'une panoplie de retombées technologiques qui émanent soit de la NASA, soit des laboratoires de recherche. Pensons aux satellites, au laser, à la fibre optique, à la miniaturisation, qui sont autant de percées aux applications pratiquement illimitées. La disproportion entre cette poussée vertigineuse de la technologie et les besoins humanitaires dans le monde constitue un déséquilibre extrêmement menaçant.

---

* Robert Fulford, dans *Saturday Night* de février 1983, a donné pour titre à sa critique du rapport Applebaum-Hébert « Le vide absolu : deux années de travail et trois millions et demi de dollars pour aboutir à un rapport sans valeur sur une nouvelle politique culturelle ».

En 1982, un journaliste néo-zélandais, Ian Reinecke, au demeurant vulgarisateur scientifique, a publié un ouvrage intitulé *Electronic Illusions* dans lequel il démontrait de façon convaincante que toutes les inventions électroniques ne sont mises en marché que pour l'avantage exclusif des entreprises qui les produisent. Certes, les laboratoires, les hôpitaux et nombre d'industries doivent disposer d'appareils sophistiqués, mais il n'en va pas de même pour les individus, contrairement aux visées du marketing. En dernière analyse, et la preuve en a été faite, ce sont les contribuables qui, d'une façon ou d'une autre, par les taxes et les impôts qu'on leur impose, paient le coût exorbitant de la haute technologie. Voilà donc un marché de dupes pour le grand public et une affaire d'or, à coup sûr, pour les financiers. Mutisme médiatique là-dessus.

Tout se recoupe. Depuis assez longtemps, ce ne sont plus les gouvernements qui dirigent véritablement les nations et, partant, le monde. Ce sont bel et bien les multinationales qui détiennent les leviers de commande. Chaque jour nous apporte de nouvelles preuves en ce sens. Ce n'est pas un accident si l'Union économique européenne (UEE) et l'Accord de libre-échange nord-américain (ALENA) n'ont été conçus et ne reposent que sur une base économique, invariablement avec le même processus de mise en scène, soit « l'assentiment officiellement libre » des pouvoirs politiques. Sinistre blague ! Voilà le contexte dans lequel œuvrent également les médias, de quelque nature qu'ils soient. Ils sont essentiellement des entreprises d'affaires qui emploient des journalistes au même titre que des gestionnaires, des agents de sécurité et des balayeurs. Démocrates, tout de même, les grands financiers ! Les journalistes seraient-ils naïfs ? Ni plus ni moins que les autres. La lutte pour la survie prime tout. L'essentiel n'est-il pas de tirer son épingle du jeu ?

Faudrait-il pour autant conclure à l'impuissance des journalistes qui dépendent, en dernier ressort, des gestionnaires, lesquels représentent les bailleurs de fonds ? Que non ! Ils s'entendent tous comme larrons en foire pour la simple raison qu'ils ont besoin les uns des autres. Les conventions collectives établissent les balises. Il arrive néanmoins des accidents de parcours qui démontrent combien est ténu le lien qui rattache le management* aux journalistes. Un exemple de cela s'est produit à *La Presse* en 1994 alors qu'un chroniqueur, André Pratt, a rapporté en long et en large *les élucubrations d'un quidam qui s'en prenait de façon abusive à Power Corporation.* Ce fut le pavé dans la marre ! Il y a eu aussitôt déclenchement de réactions en chaîne des parties en cause, à savoir indignation profonde de la multinationale exigeant *illico* le congédiement du mouton noir; menace de grève immédiate de la part du syndicat advenant le renvoi du journaliste ; et crise majeure à la haute direction du journal prise entre deux feux. En évoquant sans doute le jugement de Salomon, on opta alors pour la retraite stratégique, soit pour la suspension avec *solde* (la crainte engendre la prudence) du pauvre journaliste et on abandonna aussitôt la chronique. Les lecteurs de *La Presse*, les laissés pour compte en l'occurrence, furent privés — notez qu'ils le sont toujours — d'une chronique excellente à tous égards.

---

* «Le management exige le neutralisme le plus absolu, un non-engagement radical» (René-Victor Pilhes, *L'imprécateur*, Paris, Seuil, 1974).

Il reste évident que les intérêts fondamentaux des deux parties ont toujours été et resteront à jamais diamétralement opposés. N'en déplaise aux journalistes, qui ont pour la plupart une mentalité d'anarchistes, voire d'iconoclastes, ils œuvrent néanmoins dans un cadre bien défini et irrémédiablement terre à terre, celui des investissements à long terme des propriétaires de médias. Qu'à cela ne tienne. Ils sont comblés, voire choyés. Ils sont à peu près les seuls maintenant dans toute la société à être assurés de la sécurité d'emploi (les syndicats y veillent jalousement) ; ils sont très bien rémunérés, confortablement logés ; ils disposent, cela va de soi, d'appareils à écrans cathodiques dernier cri. Bref, rien ne leur manque dans l'exercice de leur tâche. Enfin, ils jouissent de toute la gamme des avantages sociaux dont la majorité de leurs lecteurs, auditeurs ou téléspectateurs, à qui ils s'adressent dans leurs articles ou leurs topos sont privés. Premier avantage et il est de taille.

Ils profitent, par surcroît, d'un statut professionnel incomparable. Y a-t-il sur terre quelque chose d'équivalent au fait de pouvoir dire : « Je suis journaliste » ? Existe-t-il un meilleur passeport, laissez-passer ou sauf-conduit si ce n'est, hélas, celui du policier, qui confère au porteur le droit de forcer n'importe quelle porte, d'interroger qui que ce soit et d'*exiger* par chantage implicite une réponse immédiate comme si la chose allait de soi ? Deuxième avantage dont les conséquences, on le verra plus loin, sont des plus redoutables.

Pareil privilège nous apparaît carrément immoral parce que antidémocratique. Cela saute aux yeux de tout observateur et inquiète tous ceux qui sont soucieux de l'équilibre des forces dans la société. Si, par hypothèse, les journalistes agissaient avec tact et déférence, cette forme d'intimidation institutionnalisée pourrait, à la rigueur et à l'occasion seulement, être tolérable. Or, c'est généralement sans la moindre retenue qu'on en use et qu'on en abuse, ou seulement pour l'inconnu d'hier qui fait l'objet de la manchette de l'heure, mais et surtout auprès des personnes en autorité, à tous les niveaux et dans tous les domaines. Et de façon éhontée en politique. Il s'ensuit fatalement un profond malaise socioculturel et politique dont nous devrions craindre les conséquences à plus ou moins long terme.

Cette atteinte tacite aux droits de la personne au bénéfice exclusif des journalistes découle de la crainte et de la méfiance que ces derniers suscitent dans leur milieu. Que dire alors de l'impact de cette supercherie sur la scène politique. Comment pourrait-on imaginer que le jeu de la démocratie ne s'en trouve pas terriblement faussé ? Autrement dit, les journalistes s'approprient rien de moins que le rôle propre de l'opposition officielle.

Le plus extraordinaire, c'est qu'ils le fassent 1) sans mandat ; 2) hors de l'enceinte des délibérations entre représentants du peuple dûment élus ; 3) sans égard pour la procédure parlementaire et 4) qu'ils s'en vantent ! Comme le Parlement est l'institution suprême de la société, cette dernière se trouve pour ainsi dire prise en otage. Et par voie de conséquence, les journalistes mènent à leur gré une véritable guerre des nerfs dont les élus font les frais. En effet, à quelque niveau qu'ils se trouvent, ceux-ci sont constamment acculés au mur, tenus d'être disponibles à la discrétion des médias, pour rendre compte de leurs faits et gestes, même de leurs intentions ! Et cela, vingt-quatre heures sur vingt-quatre, trois cent soixante-cinq jours par année.

Dans son remarquable ouvrage, *Les bâtards de Voltaire*, John Saul explique que « l'invention du secret, né de l'alliance d'un savoir contrôlé et de l'armure protectrice de la spécialisation, est peut-être la création la plus pernicieuse du pouvoir. [...] L'emprisonnement de l'information se poursuit, nullement entravé par une copieuse législation censée autoriser l'accès de tous à l'information. » Nous y reviendrons plus loin. L'État abuse depuis longtemps de cette prérogative qui a engendré une anomalie des plus néfastes. Infiltrés de gens engagés politiquement (pas nécessairement du côté du parti au pouvoir) ou de rebelles sans cause, les pouvoirs publics sont devenus une source privilégiée d'informations de tout premier ordre. Les documents soi-disant confidentiels ont effectivement cessé de l'être : les archives publiques coulent maintenant comme des passoires. Ainsi, le circuit continu de l'information gouvernementale est devenu une véritable chasse gardée, un droit acquis pour les journalistes. Par voie de conséquence, aucun premier ministre, ministre, haut fonctionnaire ou commis de l'État n'est désormais à l'abri des maniaques de la photocopie et, partant, des pièges médiatiques montés pour nourrir l'ogre insatiable de l'information spectacle.

Le *star system* hollywoodien contribue largement à l'exploitation abusive des manchettes. La concurrence est très vive entre les journalistes, les animateurs et autres vedettes de l'information spectacle. « Il a fallu peu de temps, écrit Saul, pour que les journalistes deviennent eux-mêmes des stars. [...] C'est donc au présentateur qu'il — l'auditeur ou le téléspectateur — est fidèle, non à son ou ses invités. » Intéressant. En fait, la lutte est de même nature que celle que l'on retrouve chez les acteurs et les sportifs. Tout se rattache à une simple question de popularité qui se traduit par le tirage et les cotes d'écoute. C'est une affaire de prestige et de gros sous. Aussi, reporters et animateurs y vont-ils tous à fond de train.

La poursuite effrénée de la gloriole de la part des journalistes a pour effet immédiat d'exploiter à la limite chacun des événements de l'actualité. Certains croient que le public est maintenant acquis à cette formule de l'information spectacle issue du showbiz, que le procès médiatisé de l'athlète O. J. Simpson a poussé jusqu'au paroxysme. D'autres, au contraire, sont d'avis que le public attend désespérément des exposés clairs, sereins et sans surcharge théâtrale propre à déformer la nature des choses.

La technologie se raffine. La course aux profits s'accélère. L'influence américaine s'affermit davantage de jour en jour. L'ambition des journalistes, vedettes consacrées ou en devenir, est complètement débridée. La formule de l'information spectacle, à l'américaine, semble maintenant coulée dans le bronze.

De la personnalité de quelques médias

Nous sommes tous portés à généraliser. Par expédient. C'est ainsi que nous parlons des « médias » comme s'ils étaient tous identiques. Or, rien ne saurait être plus erroné. Ne dit-on pas d'une entreprise qu'elle est une personne corporative ? Chacune a donc sa personnalité propre. Pourtant, les entreprises médiatiques éprouvent souvent un mal fou à se présenter sur la place publique alors que l'idée que les gens s'en font est simple et sans ambiguïté parce qu'elle découle de ce qui en émane.

CBC-SRC

La CBC se définit depuis quelque temps comme « *a public service* » et la SRC comme « un réseau national ». Le conseil d'administration, le président s'entend, a décidé un jour que le temps était venu pour la société de préciser auprès de ses auditeurs et de ses téléspectateurs quelle était la nature de l'institution comme si ces derniers, depuis six décennies, n'en savaient rien. La décision s'est concrétisée aussitôt en directives auprès des responsables. Des messages « institutionnels » ont dès lors été rédigés conformément à la thématique arrêtée et martelés, jour après jour, selon un dosage préétabli, dans l'attente bien aléatoire d'influencer favorablement l'auditoire et, partant, l'opinion publique.

Certes, la vénérable société a toutes les raisons du monde de craindre pour sa survie et elle éprouve la nostalgie de l'époque où, jouissant d'un monopole, elle pouvait se permettre d'être élitiste. Elle cherche maintenant à se distinguer et à se tenir à distance de l'entreprise privée, en s'identifiant implicitement au Public Broadcasting System (PBS) bien coté chez les intellectuels de Toronto. Ces derniers seraient-ils à ce point insensibles au tic insupportable de la main tendue de ces disciples d'Emmaüs d'une chaîne de télévision dont l'audience n'est que de deux pour cent aux États-Unis et qui ne survit qu'en puisant dans la poubelle internationale du dumping culturel ? Il serait intéressant de savoir combien d'entre eux y vont de leur pécule et « donnent généreusement », comme le suggèrent les quêteurs bénévoles de cette boîte de charité médiatique. Non. Cent fois non ! Le PBS, malgré de belles émissions souvent en provenance de la BBC — l'oncle Sam n'a plus de fierté —, n'est pas un modèle propre à susciter la convoitise. Ces messieurs et dames de l'intelligentsia feraient bien de relire le rapport Caplan-Sauvageau pour tenter de sauver, à supposer que ce soit encore possible, ce qui peut l'être de la bonne vieille CBC*. Ce mirage « pébésien »,

---

* « But the BBC has always been 50 years old ! » (« La BBC a toujours eu 50 ans »). Graffiti observé à Londres par Herbert Steinhouse, l'année du cinquantième anniversaire de la BBC.

chez nos amis anglophones, tient de la fixation. Rien de tel ici où règne l'apathie la plus absolue sur le sort morbide réservé à la CBC-SRC par les gouvernements fédéraux depuis 1982, soit à la suite du rapport Applebaum-Hébert, ce tissu de doléances à saveur faisandée. Quant à nous du Québec, les gens de Toronto le savent bien, c'est la constitution qui nous intéresse. Rien d'autre. Fin de cette digression sur le comportement des « deux solitudes » en matière de radiodiffusion. Reprenons le fil de l'exposé. Comme la radio, tant MF que MA, s'est affranchie de la commandite il y a une vingtaine d'années, les auditeurs savent parfaitement à quoi s'en tenir. Alors pourquoi les importuner ? Quant aux téléspectateurs, comment pourraient-ils différencier la CBC-SRC des chaînes privées, la pub les ayant rendues toutes interchangeables ?

En ce qui a trait à la SRC, c'est sans doute sur la colline parlementaire ou au siège social de la société, rue Bronson, qu'on a ressenti soudain le besoin impérieux de préciser que la SRC, soit les services français de Radio-Canada — dont le Québec constitue quatre-vingt-dix pour cent de l'auditoire —, est un service national, *a mari usque ad mare*. Effectivement, les stations de réseaux de radio et de télévision de la SRC, tout comme celles de la CBC, s'échelonnent sur toute l'étendue du territoire canadien. Mais, de par la volonté du législateur, la plupart sont des stations privées affiliées, des entités hybrides, ce qui a toujours occasionné des difficultés monstres au niveau de la programmation, compte tenu de l'incompatibilité des objectifs de part et d'autre.

Lorsque cette campagne de messages institutionnels est entrée en vigueur, il y a un an, l'éditorialiste Pierre

Gravel, de *La Presse*, s'est inscrit en faux contre cette initiative. Comment l'en blâmer ? Ce qu'il y a d'étonnant, c'est que la société ait attendu près de soixante ans avant d'affirmer sa personnalité ! Qu'elle l'ait fait de façon différente sur les réseaux anglais et français témoignait, toutefois, de beaucoup de réalisme. Si l'intention était bonne, la mission, elle, était impossible. On ne se donne pas ainsi une nouvelle personnalité sans qu'elle ne soit perçue, forcément, comme artificielle. C'est du travail de mandarin. Notons, par souci d'honnêteté, qu'un train de mesures, notamment sur le plan graphique, accompagnait cette nouvelle image corporative.

L'émission matinale « SRC Bonjour », par exemple, a dû déménager ses pénates à Ottawa pour bien montrer qu'un réseau « national » tire ses forces vives de la capitale « nationale ». C'était là une vue de l'esprit car, depuis 1936, la production des émissions françaises a toujours été centralisée à Montréal. On s'est bien gardé, assez curieusement, d'imposer la même contrainte à la CBC. L'ironie, c'est que les cotes d'écoute de « SRC Bonjour », en provenance d'Ottawa, se soient révélées si décevantes que, dès la saison suivante, ce fut le retour en catimini à Montréal. C'est ainsi que l'émission « Bon Matin » a vu le jour.

Enfin, on aurait pu renverser les slogans, soit en collant à la CBC l'étiquette « un réseau national » et à la SRC « un service public ». La subtilité du choix effectué par les hautes instances semble bien confirmer toute l'attention qu'on y a consacrée. C'était, admettons-le, assez habile de leur part.

The Globe and Mail

Le *Globe and Mail* a célébré le cent cinquantième anniversaire de sa fondation le 5 mars 1994. L'événement méritait d'être souligné de façon exceptionnelle. Aucun autre journal, sauf *The Gazette*, n'a précédé et d'aussi longtemps la naissance de la confédération canadienne — de la « fédération » canadienne, ne manquerait pas de rectifier le sénateur Gérald-A. Beaudoin. Il y a eu publication d'un numéro commémoratif dans le style ancien ; on a eu l'excellente idée d'y présenter une rétrospective historique sur le Canada. *Why not ?* Par surcroît, on a inséré dans le numéro un cahier spécial, format *Time Magazine*, consacré à des articles de fond. Seule madame Lise Bissonnette, directrice du *Devoir*, y représentait la presse d'expression française, sinon davantage, le Québec. Fidèle à elle-même, sa dialectique s'est immanquablement butée sur son nationalisme fondamental qui est de granit.

Dans sa prestation, et c'était de bonne guerre, madame Bissonnette a fait état d'un commun dénominateur que partageraient, selon elle, *The Globe and Mail* et *Le Devoir* : « En dépit des différences énormes entre leurs moyens financiers, de l'abîme entre leurs politiques éditoriales, de leurs environnements culturels, les deux journaux sont de la même famille, certains diraient de la même caste. Ils se considèrent tous les deux sérieux, profonds, raffinés, fiables et *généralement au-dessus de la mêlée* [nous soulignons]. Voilà ce qui explique que les autres nous perçoivent comme arrogants, comme affectés et comme des irréalistes, étrangers au monde. Nous appartenons à une même civilisation. » Il ne faudrait surtout pas croire pour autant que le texte de la directrice du *Devoir* était le moindrement complaisant envers son hôte, mais tel n'est pas l'objet de notre propos. Il existe une relative corrélation entre ces deux excellents journaux malgré les réserves que chacun est en droit de faire là-dessus. Mais, comme dans le cas précédent, c'était un pari téméraire que de se définir et de se juger soi-même.

Revenons sur l'appréciation personnelle « généralement au-dessus de la mêlée », et passons-la au crible. Le journaliste torontois George Bain a publié en 1994 un ouvrage intitulé *Gotcha !* (« Je vous ai eu ! ») et qui a comme sous-titre *How the Media Distort the News.* (« Comment les médias déforment les nouvelles »). L'auteur démontre comment, le plus souvent, les médias se comportent de façon cavalière, irresponsable, partiale et avec une dose supplémentaire d'agressivité envers les politiciens. Pour étayer sa thèse, il a étudié attentivement plusieurs dossiers qui ont été dans un passé relativement récent à la une de tous les jounaux du pays et, bien sûr, des médias électroniques. Le moins qu'on puisse en dire, c'est que ses conclusions sont des plus accablantes pour la confrérie des journalistes.

On y trouve également, comme il fallait s'y attendre, une évaluation subjective des trois grands journaux de Toronto : « Le *Sun* a perdu un peu de sa vitalité, le *Star* s'est embourbé quelque peu au début des années quatre-vingt-dix comme s'il n'était plus très sûr de son orientation et *The Globe and Mail*, qui rejoint encore à coût d'or ses lecteurs dans les petites localités disséminées à travers le pays (via impression par satellite), a réussi à s'établir comme le seul journal national, et le meilleur, si ce n'était son penchant pour les textes biaisés sur le plan politique — comme pour se trouver en désaccord tant avec sa politique éditoriale qu'avec ses rédacteurs et ses reporters de la salle des nouvelles. » Le verdict du vétéran journaliste Bain est clair : le prestigieux *Globe and Mail* est bel et bien politiquement biaisé, *slanted*, dans la langue de Shakespeare. Et de un.

Le Devoir

Le Devoir est demeuré un journal qui jouit encore d'une certaine considération au Québec et dont on attend toujours beaucoup. Grâce à madame Bissonnette, pour qui l'esthétique n'est pas qu'une notion abstraite, la présentation graphique de ce journal le place avantageusement aujourd'hui parmi les grands journaux de l'Europe et de l'Amérique. Voilà qui est déjà assez extraordinaire. Mais, il faut en convenir, un journal est d'abord une affaire de contenu. Faute de disposer d'un George Bain issu du milieu et qui nous fournirait tout de go un verdict irrécusable sur l'objectivité ou le manque d'objectivité du journal en cause, force nous est de procéder autrement et de rappeler dans quelle perspective historique *Le Devoir* a évolué au cours de sa très longue existence, à défaut de quoi son nouvel aiguillage resterait passablement incompréhensible.

À l'époque de son fondateur et premier directeur, Henri Bourassa, c'était la lutte pour le nationalisme canadien, d'où la cause célèbre de la participation du Dominion of Canada à la marine impériale britannique, cause défendue avec toute la vigueur juvénile du premier lord de l'amirauté, Winston Churchill. C'était avant la première guerre mondiale. Deux pays, l'Angleterre et l'Allemagne, étaient alors fébrilement engagés dans la mise en chantier des redoutables *dreadnoughts*. L'Angleterre, régnant en maître sur son empire, était au faîte de sa puissance et exerçait une emprise considérable sur ses colonies. C'est ainsi que l'Australie et la Nouvelle-Zélande se laissèrent intimider. Le Canada y échappa de justesse grâce, dans une large mesure, à Wilfrid Laurier et à Henri Bourassa qui y sacrifièrent leur carrière politique. C'est alors que Bourassa fonda « son » journal. C'était en 1910.

Le Devoir, on l'oublie trop facilement aujourd'hui, a joué un rôle capital, parfois déterminant, dans la cause de l'autonomie du Canada : l'abandon du Red Ensign pour un drapeau canadien distinctif, la reconnaissance officielle de l'hymne national — combien de jeunes en connaissent le compositeur et l'auteur ? —, la monnaie et les timbres bilingues, l'équité de l'emploi et le bilinguisme dans la fonction publique, l'alternance dans les hautes fonctions du pays. C'était, il est vrai, avant que la province de Québec ne devienne l'État du Québec avec des « maisons » à l'étranger.

En filigrane, se déroulait la campagne acharnée de l'abbé Lionel Groulx, dont le pseudonyme était Jacques Brassier, campagne qu'il livrait sur trois fronts, celui du catholicisme militant, celui de l'antisémisme et celui de la « création d'un État français dans le Québec, dans la Confédération si possible, en dehors de la Confédération si impossible ». Son cri de ralliement le plus mémorable, « Qu'on le veuille ou qu'on ne le veuille pas, notre État français nous l'aurons ! », n'a cessé de servir de leitmotiv aux générations montantes. Dans l'immédiat, son message lui aura valu des collaborateurs de qualité comme

Georges Pelletier et André Laurendeau. Ce dernier volera plus tard de ses propres ailes. Son acceptation de la coprésidence de la commission Dunton-Laurendeau confirmera sa dissidence, mais, comme Hamlet, le doute sur la voie à choisir le poursuivra jusqu'à sa mort. François-Albert Angers se montrera un disciple ardent et persévérant du nationalisme pur et dur de Groulx. Son héritier présomptif, Jean-Marc Léger, assumera la relève. Sa collaboration au *Devoir*, toutefois, aura été plutôt sporadique. Assez curieusement, c'est dans *La Presse* qu'il publie maintenant ses articles. Il y a eu continuité dans la démarche nationaliste, ce qui est largement attribuable au fait que l'historien n'a cessé de faire appel aux universitaires qui se sont ralliés à lui, pour la plupart, comme des moutons de Panurge.

Dans *Mémoires d'un autre siècle*, publié chez Boréal, en 1987, Marcel Trudel affirme que « l'histoire est une recherche perpétuelle » qui « ne doit servir aucun combat ». Aussi déplore-t-il le détournement que l'école de Montréal en a fait et cela à des fins nationalistes. Quant à lui, il s'était toujours refusé à « faire servir l'histoire aux revendications traditionnelles, dans une société qui s'accrochait à l'histoire comme si elle détenait l'arme finale qui sauve les peuples ». Et l'historien rappelle ce qu'il avait écrit en 1967 au sujet des manuels canadiens-français : « [Les auteurs] n'ont connu que l'atmosphère d'un nationalisme provincial surchauffé et on leur a inculqué la conviction que l'histoire devait servir à ce qu'ils appellent *la cause nationale*. Aussi ont-ils fait de leurs manuels des instruments d'apologétique française et catholique. Quand on songe que la jeunesse d'aujourd'hui a reçu sa formation historique dans ces manuels, on ne s'étonne plus de la grande vogue du séparatisme chez les jeunes. »

Mais nul ne contestera que les Marcel Chaput, Pierre Bourgault et René Lévesque* en portant le débat sur la place publique, chacun à sa façon, l'auront graduellement acheminé à l'étape cruciale d'une échéance politique. En élevant l'abbé Groulx à la dignité de chanoine au soir de sa vie, l'Église catholique a sciemment entériné son idéologie. Ce ne fut pas un accident. La grande majorité des membres du clergé s'était faite l'écho du message réconfortant de « l'aimable historien » : « Catholiques, nous avons le privilège de posséder la vérité, les paroles de la vie éternelle, au milieu de cent millions de protestants et de matérialistes. » Quel message exaltant ! Et quelle source d'inspiration pour un clergé ignare, limité au rituel et en mal d'une cause sublime. Le Canada français, comme on disait alors, avait enfin « son » prophète ! Alleluia ! La terre promise : l'Amérique entière à convertir ! Lorsque la troisième symphonie de Camille Saint-Saëns a été exécutée, en première, à Paris, il s'est trouvé un critique enthousiaste pour écrire : « Nous avons enfin notre Beethoven ! » C'était du même ordre.

---

* De nombreux ateliers et colloques sur l'avenir du Québec furent tenus auprès des étudiants, notamment dans les universités et les cégeps. Certains organismes y étaient invités pour donner un air d'objectivité à l'initiative. C'est ainsi que je me retrouvai à Pierrefonds, à titre de délégué de la SRC: le tout fut couronné dans un grand amphithéâtre par le premier ministre René Lévesque qui y alla d'un discours à l'emporte-pièce, l'un des plus enflammés de sa carrière. «Nous sommes exactement comme les Arabes qui ont repris possession de leur pétrole!», conclut-il dans un vibrant *crescendo*. Un tonnerre d'acclamations suivit. Lévesque fut littéralement reçu et traité comme le Messie.

En passant de « être maître chez nous » (Lionel Groulx) à « maître chez nous » (Jean Lesage), nous sommes entrés dans notre soi-disant révolution tranquille* qui fut peut-être davantage une révolution culturelle, dans le sens chinois de l'expression, puisqu'on a fait table rase de tout et avec une frénésie qui tenait du délire. Galéjade que cette affirmation ? Voici l'aperçu qu'en a donné Gérard Filion — qui fut à la barre du *Devoir* de 1947 à 1970 — dans ses mémoires, *Fais ce que peux*, publié chez Boréal en 1989 : « Durant pratiquement vingt ans, soit de 1960 à 1980, la société québécoise a vécu " sur la brosse ". À tous les niveaux, on s'enivrait, au propre et au figuré. [...] Nous vivions dans une société sauvage, où les ouvriers de la construction saccageaient le chantier de la baie James, où les médecins désertaient les hôpitaux, où des enseignants polissons bousculaient le premier ministre, où des cultivateurs enragés épandaient du fumier sur la route transcanadienne, où les policiers montréalais se mutinaient et contraignaient le président du Comité exécutif à aller leur faire des excuses, où quelques voyous kidnappaient un diplomate et assassinaient un ministre. [...] Je me rappelle avoir visité quelques collèges vers la fin des années soixante. Impossible de distinguer les enseignants des étudiants. [...] De vraies maisons de fous. N'importe qui enseignait n'importe quoi, n'importe comment. Tout le monde contestait tout le monde : les collégiens contestaient les enseignants, les enseignants les directeurs, les

---

* « Brian Upton, du *Montreal Star*, utilisa en 1961, pour la première fois l'expression " révolution tranquille " dont l'usage sera consacré quelques mois plus tard par Peter Gzowski dans le *Maclean Magazine* » (Pierre Gravel, *La Presse*, 13 décembre 1980).

directeurs les administrateurs, les administrateurs le ministère. Les résultats pédagogiques étaient nuls ? Pouah ! On remonte les notes de tout le monde. [...] Je puis affirmer que ce qui a fait battre Lesage en 1966, Bertrand en 1970, Bourassa en 1976, c'est le traumatisme créé dans la population par toutes les folies qui se sont vécues dans les écoles pendant vingt ans. »

Cette toile de fond, au relief accidenté, on ne pouvait en faire abstraction sans tout fausser. C'était la grande mouvance dans laquelle toute la société était entraînée et, au premier chef, *Le Devoir*, conformément à la mission qu'il s'était donnée de guider notre collectivité vers l'avenir. Entre autres épisodes cruciaux qui ont ébranlé la « province », sous le régime Duplessis d'alors, rappelons la grève d'Asbestos, la campagne de Pax Plante et de Jean Drapeau sur la moralité publique, et l'affaire du gaz naturel. *Le Devoir* logeait dans un immeuble vétuste et insalubre*. Sa situation financière était extrêmement précaire. Il était la bête noire de Duplessis, ce qui se traduisait par un manque à gagner du côté de la publicité. Et l'épiscopat l'avait à l'œil. Ce regard pesait lourd. Bref, *Le Devoir* était constamment sur la corde raide. Ce fut à tous égards une époque héroïque.

Que penser aujourd'hui de la « position » du *Devoir* ? Est-il ou n'est-il pas « au-dessus de la mêlée » ? La réponse ne peut être que négative. Aucun journal ne peut y prétendre ! Serait-il, à l'instar du *Globe and Mail*, politiquement « biaisé » ? Il faut distinguer. Certaine-

---

* « Quand *Le Devoir* prendra du ventre, ce sera dangereux pour sa vertu » (commentaire de Henri Bourassa sur l'indigence du *Devoir*, rapporté par Gérard Filion).

ment pas sur le plan politique : aucune équivoque possible sur la position du journal qui ne gaspille guère d'énergie à sauvegarder les apparences de l'objectivité. Pour l'actualité, c'est plus complexe.

Soyons plus explicite : *Le Devoir* se situe aujourd'hui carrément en faveur du nationalisme québécois, à l'*exclusion* du nationalisme canadien : sa directrice, jouissant des pleins pouvoirs en vertu de la charte du fondateur dont elle est la fiduciaire, a orienté le journal en ce sens. C'était son droit le plus strict.

Oui, il arrive au *Devoir* d'être « biaisé ». C'est inévitable. Tous les journaux y passent. Les journalistes ont droit à leur marge d'erreur sauf que, dans leur cas, c'est le journal qui en subit l'odieux. Voilà une règle de jeu cruelle pour les dirigeants. Rappelons-nous, à titre d'exemple, comment l'affaire Nationair a été traitée au *Devoir* en 1993. Mais autrement plus grave, parce que la direction du quotidien était impliquée, fut la réaction indignée du journal au livre de Mordecai Richler, *Oh ! Canada, Oh ! Quebec, Requiem for a divided country*. Un excellent ouvrage, au demeurant, qui aurait pu être signé par toute personne pourvue d'un certain talent, bien sûr, et d'un minimum de sens critique. Les sceptiques seraient bien avisés de lire la thèse d'Esther Delisle, intitulée *Le Traître et le Juif, Lionel Groulx, Le Devoir et le délire du nationalisme d'extrême droite dans la province de Québec, 1929-1939* (L'Étincelle, 1992) dont Richler s'est en partie inspiré. En voici un bref extrait : « Des 1007 articles du *Devoir* amassés pour cette recherche, 800 concernent les Juifs et ils apparaissent presque tous en première page. L'antisémitisme du *Devoir* n'est ni discret, ni honteux : il s'affiche à la vue de tous. »

Et, remontant beaucoup plus loin dans le temps, les esprits incrédules auraient grand intérêt à lire un ouvrage capital de l'historien Jean-Paul de Lagrave sur *Fleury Mesplet (1734-1794), diffuseur des lumières au Québec* (Patenaude, 1985), ne serait-ce que pour découvrir les vraies sources de notre évolution. C'est un drame chez nous que, pour tant de gens, l'histoire ne remonte qu'à Duplessis ou à Lévesque. C'est puéril. Ainsi et contrairement au mythe entretenu par tellement d'intellectuels québécois, Maurice Duplessis n'a pas eu grand-chose à voir avec « la grande noirceur », si ce n'est qu'il l'a exploitée à son propre compte. Il aura été en quelque sorte notre premier évêque laïque ! Tenir le peuple dans l'ignorance a longtemps été le grand moyen d'exercer la domination.

Madame Bissonnette avait-elle raison d'établir une corrélation entre le *Globe and Mail* et *Le Devoir* ? Sans doute. Mais pour d'autres motifs que celui qu'elle alléguait. C'était assez téméraire de sa part d'affirmer que ces deux journaux étaient « généralement au-dessus de la mêlée » ! Notons, tout de même, une certaine réserve dans l'affirmation.

Le *Globe and Mail* est incontestablement le quotidien national du Canada anglais ; quant au *Devoir*, il ne peut plus prétendre être un journal national au sens canadien du terme — ce qu'il aura longtemps été et ce qu'il ne veut plus être, manifestement. Pour l'instant, ce serait une fiction que de poser au journal national du Québec. En revanche, *Le Devoir* pourrait, sans crainte de contradiction, affirmer être devenu l'organe privilégié des nationalistes du Québec. Serait-il avisé de le proclamer ?

Le Devoir, il est vrai, n'a pas fait de déclaration officielle à ce jour quant à son choix dans le sempiternel conflit qui oppose aujourd'hui le Québec à Ottawa. Sa nouvelle orientation est sans équivoque. Duplessis aimait rappeler à ses adversaires que la tour de Pise penchait toujours du même côté ! Voilà une évocation d'outretombe qui convient bien au *Devoir*. Duplessis s'en serait bien amusé. Le parti pris du journal en faveur du nationalisme québécois équivaut tout à fait à une déclaration solennelle. C'est une question d'orchestration. Impossible de s'y tromper à moins d'être sourd. Et aveugle.

De par son choix, *Le Devoir* a rompu avec une tradition qui remonte à la fondation même du journal. Ce faisant, et de façon définitive, il a abandonné à leur sort un million de Canadiens français vivant au Canada, hors du Québec, auxquels un Paul Sauriol aura consacré sa carrière ; il s'est *ipso facto* désolidarisé et désintéressé de toutes les causes de l'autonomie du Canada pour lesquelles il a lutté avec acharnement pendant plus de quatre-vingts ans ; il a tourné le dos à cent mille fonctionnaires francophones au moment où l'équité proportionnelle avait été atteinte de haute lutte (ils n'auront plus qu'à lire le *Globe and Mail*) ; il a par son virage porté atteinte à la cause du bilinguisme à travers le Canada ; il a rejeté toutes les institutions majeures du pays qui nous ont traité avec justice, souvent avec bienveillance, et au nombre desquelles se trouvent la Société Radio-Canada, l'Office national du film et le Conseil des arts, autant d'institutions — que la chose plaise ou non — qui ont assuré la survie de notre culture pendant des décennies.

À la décharge du *Devoir*, depuis le référendum de 1980, les Canadiens français d'hier devenus depuis la

73

révolution culturelle les Québécois d'aujourd'hui (à l'exclusion de tous nos compatriotes vivant au pays à l'extérieur du Québec) sont irrémédiablement divisés en deux blocs distincts. Voilà, inutile de se leurrer, le véritable héritage politique de René Lévesque. Se posait pour *Le Devoir* la question de sa survie financière. *Primo vivere*, n'est-ce pas ? Madame Bissonnette ne semble pas dépourvue de sens pratique. Où diable, dans le contexte présent, *Le Devoir* pouvait-il recruter une autre clientèle pour assurer sa survie sinon chez les nationalistes ? Une hypothèse plutôt vraisemblable. Une affaire de vie ou de mort pour ce journal que de franchir le Rubicon.

La caution morale du *Devoir* sur le plan politique a été incarnée depuis des années en la personne de Gilles Lesage. Toutes les sinuosités et les aspérités de la réthorique du « salon de la race » lui sont devenues familières. Ses lecteurs se sentaient en confiance avec lui parce qu'il ne se laissait pas « enfiferouâper » par qui que ce soit. Or, voilà qu'en février 1995, en commentant l'ouvrage de Jean-Pierre Derriennic, *Nationalisme et démocratie*, il s'est révélé sous un tout autre jour. Pour la première fois, à ma connaissance, il a eu recours à l'invective pour pourfendre la thèse d'une logique cartésienne du professeur de science politique de Laval. Aurait-il sursauté à l'énoncé que « nationalisme et démocratie sont profondément antinomiques » ? Voici comment Lesage a terminé sa critique : « Allez donc savoir si le manichéisme des démocrates n'est pas aussi empoisonné, à tout prendre, que le triomphalisme du gouvernement péquiste et de ses fidèles éditorialistes... »

En raison de la charte du *Devoir*, son directeur jouit des pleins pouvoirs. Son autorité est complète et son prestige ne tient qu'à sa personnalité. Et là-dessus, madame Bissonnette ne le cède à aucun de ses prestigieux prédécesseurs. Le timonier, ces années-ci, c'est elle ! Et selon l'excellente tradition, un numéro du *Devoir* sans un « papier » de madame Bissonnette, qu'on soit d'accord ou pas avec elle, ne manque jamais de laisser le lecteur sur son appétit.

Quel étonnant paradoxe qu'au moment où *Le Devoir* faisait peau neuve au point d'avoir toutes les apparences d'un journal de calibre international, il ait saisi le mauvais bout de la lorgnette pour tout miser sur le Québec. Il eût mieux fait d'écouter Gilles Archambault, le poète des *Plaisirs de la mélancolie* : « Je ne vois pas l'intérêt de proclamer à tue-tête qu'on est du Québec ou du Vermont.» Rue de Bleury, le Québec supplante inlassablement « le village global ».

Des entités comme la BBC (Grande-Bretagne), la NHK (Japon), la RAI (Italie) sont des « monuments nationaux » ; il en va de même de journaux comme *Le Monde, The Times, The New York Times, The Washington Post, The Wall Street Journal, Die Zeit, La Stampa*, sans oublier les périodiques. Tous ces « véhicules » sont, avec raison, très jaloux de leur personnalité, de leur style, de leur tradition, ce qui explique qu'ils n'en dérogent *jamais*. Leurs lecteurs les retrouvent comme de vieux amis qui ne leur feront jamais l'affront de changer de personnalité. Le risque, à vrai dire, est minime car ils y perdraient leurs fidèles abonnés. *Le Devoir* les fera-t-il tous mentir comme le soldat qui se croyait seul à avoir le pas dans le régiment ?

Le profil du journaliste

Les contraintes

En toute logique, pour définir quelque métier que ce soit, il vaut mieux s'en remettre à quelqu'un qui le pratique.

Dans un éditorial, publié dans *Le Devoir* du 19 novembre 1963, sous le titre « Les insuffisances du journalisme actuel », André Laurendeau établissait les balises de « ce drôle de métier », comme il disait, « sans cesse menacé par la dispersion et la superficialité des vues. Métier excitant, passionnant, qui vous fait haleter derrière l'inépuisable, multiforme et toujours changeante réalité. »

Il fallait s'attendre à retrouver chez cet homme nuancé un rappel de la relativité des choses. Bien des gens y recourent pour sortir d'une impasse. Laurendeau, lui, cherche plutôt à circonscrire le débat de façon à trouver l'essence des choses. Voici une formulation des plus heureuses du champ d'action du journaliste consciencieux : « Bref, quand il aborde un thème, le journaliste sait toujours que quelqu'un connaît ce thème mieux que lui. Mais ce qu'il sait ou devrait savoir, et que le spécialiste ne sait pas, c'est comment rejoindre un public à partir de ce thème. Il est donc l'intermédiaire, l'homme de la communication, le lien, l'un de ceux grâce à qui une société pratique des échanges constants et vitaux. »

Une génération plus tard, Madeleine Poulin tentera à son tour de donner le profil du journaliste. Ce sera à l'occasion d'un colloque tenu en début d'année 1994 et qui avait pour thème « Les médias d'information : comment s'y retrouver » : [Un bon journaliste] est intelligent, a le sens de la réalité, est patient, bon observateur, curieux, sait poser les bonnes questions, sait écouter, a l'esprit ouvert, doit aimer le monde et avoir de l'empathie... sans avoir trop besoin de plaire ou de se faire des amis. »

Pas facile, avouera-t-elle, ajoutant qu'il doit être aussi sensible tout en ayant la peau dure... en plus d'avoir enfin une santé de fer. « Vaste programme ! », pour reprendre une réplique célèbre. Au reste, consciente des exigences peut-être excessives ou tout au moins inaccessibles pour la moyenne des mortels, Madeleine Poulin, dans sa conclusion, se rapproche passablement de Laurendeau : « Et pourtant, dans ce monde mouvant, fluctuant, on réussit tous les jours à fixer certains faits pour les contempler un moment, grâce aux journalistes... Les journalistes qui ont été formés pour le faire... Et qui ne le font pas si mal, étant donné l'impossibilité de la tâche. »

À la décharge des journalistes qui doivent toujours œuvrer dans un court laps de temps, l'occasion est opportune de rappeler le commentaire de l'éditorialiste Eric Sevareid (29 novembre 1977), à l'époque où Walter Cronkite projetait son extraordinaire *father image* au réseau CBS : « Le principal défaut que l'on fait à la presse, ce n'est pas d'être biaisée. C'est d'être expéditive. Je ne sais pas comment cela pourrait être contourné. J'ai déjà suggéré que nous devrions publier et diffuser les nouvelles tous les deux jours... Imaginez alors quel magnifique travail nous pourrions accomplir. Quant à notre système nerveux, il ne s'en porterait que mieux. Ce qu'il y a d'étonnant, c'est que nous soyons aussi efficaces que nous le sommes. »

Il ne fait aucun doute que la course effrénée contre la montre est de nature à restreindre passablement la recherche et la vérification des faits et des données. Le journaliste doit prévoir également suffisamment de temps pour la rédaction de son texte ou de son topo. Ces contraintes sont réelles, encore qu'elles soient graduellement maîtrisées avec l'expérience. Je me souviens d'avoir rencontré un critique musical, en fin de soirée dans un restaurant de Montréal, et de l'avoir taquiné au sujet de son absence remarquée ce soir-là au concert. Dans une magistrale improvisation, en jouant le rôle du lecteur du journal du matin, il m'a donné *illico* ce qu'eût été son texte. Ce fut un happening des plus amusants et au demeurant une démonstration probante de maîtrise absolue du métier. Mais le journaliste doit être plus polyvalent encore qu'un critique : il peut difficilement rendre compte des événements dans des formules consacrées et puiser trop abondamment dans ses connaissances.

Jean D'Ormesson confesse son effroi face à la nature des risques en cause, dans son ouvrage *Au plaisir de Dieu* :

« Rien n'est plus difficile que de contraindre les mots à traduire les événements, les idées, les passions, les sentiments. Toute expression est trahison. Nous avons trop vu saint Louis travesti en brigand, Jeanne d'Arc en hystérique et Staline en père des peuples, la tolérance en violence et la violence en liberté, pour ne pas nous méfier des pouvoirs trompeurs du langage et de l'écriture. »

Un Raymond Aron, dans *50 ans de réflexion politique*, en traite de façon critique et pragmatique : « Présenter sa vérité comme la vérité, n'est-ce pas au fond peu honnête ? [...] Après une expérience de trente années — 1947-1977 — au *Figaro*, je suis convaincu que nombre de lecteurs attendent de leur journal, autant que des informations, une sorte de sécurité, la confirmation de leurs propres jugements. [...] En d'autres termes, chaque journal se sent à demi prisonnier de sa clientèle. »

Cette dernière observation recoupe assez directement le dilemme dans lequel, on l'a vu au chapitre précédent, *Le Devoir* est enfermé. Il en va nécessairement de même de nos autres journaux, périodiques, agences de presse et, bien sûr, des médias électroniques. Tous font face à l'épineux problème d'une clientèle partagée en deux camps opposés quant aux options politiques.

Dans ce contexte, il serait pertinent de rappeler la remarquable définition qu'a donnée Jean-Marie Domenach de la notion d'« événement » : « L'Événement, le vrai, se reconnaît à ce qu'il bouscule les opinions et fait émerger les fidélités profondes. Alors l'esprit public se partage selon des lignes imprévues, et l'équilibre politique d'un pays en est modifié. »

Comme cette citation est tirée du magazine *L'Express* et qu'elle remonte à août 1967, il est possible qu'elle ait un lien direct avec le célèbre cri « Vive le Québec ! Vive le Québec librrre ! » d'un certain général s'adressant à la foule du haut du balcon de l'hôtel de ville de Montréal, un certain jour de cet été chaud.

Tous les événements ne sont pas de même importance. Le nombre d'événements graves reste relativement restreint. Heureusement pour nous tous. Mais l'attitude du journaliste, son comportement s'entend, même dans les manchettes d'un tout autre ordre, est à ce point déterminant que la moindre déviation de la rigueur tant recherchée des professionnels du métier trahit son homme. Ce qui est plus grave, c'est que cela fausse le jeu de l'information. C'est ainsi qu'un journaliste, par zèle ou ignorance, le plus souvent les deux à la fois, devient biaisé. En voici un exemple probant.

« L'Ordre du Québec décerné à 28 personnes », titrait sur quatre colonnes *La Presse* du 26 janvier 1994. Comme il s'agissait d'une dépêche de la Presse canadienne, le grand quotidien de la rue Saint-Jacques ne peut en être tenu responsable. Parmi les lauréats, « deux de nos artistes les plus remarquables ». Voici ce qu'on en disait : « Les pianistes Victor Bouchard et Renée Morisset, duettistes connus à travers le monde qui ont contribué au développement de la musique québécoise. »

D'abord c'est banal, ensuite c'est grotesque et finalement c'est inexact. Comme la nouvelle venait de la ville de Québec, il ne pouvait s'agir d'une traduction. Que penser ? Espérons qu'on n'a pas dit pareille bêtise lors de la cérémonie de la remise des décorations ! C'est inqualifiable. Évidemment, les Bouchard-Morisset ont été de grands interprètes du répertoire classique *surtout*. En bons artistes, ils n'ont pas boudé les œuvres contemporaines

d'ici ou d'ailleurs. Quant au répertoire populaire...
Rassurons-nous, ils ont beaucoup d'humour. Tout de
même, quel cas de conscience pour eux d'avoir ainsi
accepté une décoration sous de fausses représentations !
Revenons aux choses sérieuses.

André Laurendeau, Madeleine Poulin, Eric Sevareid
et Peter C. Newman, en dépit du fait que ce dernier ne
se soit pas préoccupé de la moindre réserve — comme
nous l'avons vu dans l'avant-propos — partagent un
même idéal journalistique. On retrouve chez eux cette
force d'affirmation propre à ceux qui ont la foi et la fierté
du métier. À certaines heures, le journaliste s'identifie à
la sentinelle qui veille sur la cité. Il fait bon d'y croire.
Autrement, c'est à désespérer de tout. Hélas, dans le feu
de l'action médiatique, la majorité des journalistes donnent l'impression d'avoir laissé leur idéal au vestiaire.

Il y a un côté un peu trop himalayen à l'idéal ; il
convient de miser sur quelque chose de plus accessible.

Que deux personnes qui s'ignorent tombent
d'accord sur un point commun, c'est fascinant en soi et
ce ne peut être qu'une coïncidence. Rien n'interdit de
croire par ailleurs que ce puisse être significatif. C'est
ainsi en tout cas que Peter Ustinov écrit, dans son autobiographie, qu'il n'y a pas de preuve plus irréfutable de
la folie que l'incapacité de ressentir le doute. Ce sur quoi
insiste également, à mille lieues de là, Jean Paré :
« Douter. Douter systématiquement. De tout. De soi »
(*Entretiens avec Jean Paré*, Liber, 1994). Combien de ses
confrères journalistes comprendront toute la sagesse qui
se trouve dans ce message ?

Expérience non nécessaire

Comment se fait le recrutement des journalistes ? Voilà une question difficile à élucider. Quoi qu'il en soit, l'organe de presse se doit d'embaucher des jeunes dont l'expérience est restreinte. Il en va ainsi dans toutes les sphères d'activité. Les Américains disent de l'expérience qu'elle est la somme des gaffes. L'inconvénient du processus, c'est que les conséquences de l'inexpérience dans le journalisme sont coûteuses pour tous. Elles sont gênantes pour l'entreprise médiaque qui n'est pas à l'abri des recours en justice et elles s'avèrent souvent désastreuses pour quiconque fait l'objet des frasques. C'est sans doute le prix à payer pour la relève. Ce malaise est, hélas, inévitable. Voici deux cas patents qui illustrent assez bien le genre de problématique que cela pose.

Il y a plusieurs années, les moines du monastère d'Oka — bien avant la crise historique que l'on sait — décidèrent de vendre leur fromagerie. Peu après, un journaliste de la radio (SRC) eut vent de l'affaire et y alla d'un topo nettement diffamatoire envers les moines de l'abbaye. Ces derniers, dès qu'ils furent informés de l'incident, chargèrent une tierce partie de faire enquête sur la teneur des propos tenus en ondes. Il y eut séance d'écoute à la maison de Radio-Canada, précisément dans mon bureau. Voici ce qui ressortait du reportage choc du journaliste : « Les moines de l'abbaye d'Oka n'avaient jamais cessé d'exploiter la population et ils n'avaient pas perdu l'occasion de vendre leur équipement *désuet* au premier venu. L'acquéreur avait donc conclu un marché de dupes. » La réaction des personnes présentes à l'audition en fut une de stupéfaction telle qu'elle déclencha l'hilarité générale à la suite de l'étalage de tant de bêtise, d'ignorance et de mauvaise foi.

Une manchette sur deux colonnes, dans *La Presse* du 13 mars 1976, avait pour titre « Chicoutimi aura sa télé anglaise ». Nous ne retiendrons que les initiales du correspondant, A. B., car il devint plus tard un excellent journaliste et il serait injuste de lui faire porter l'odieux d'un « péché de jeunesse ». (Qu'on se rassure, Maurice Ravel a utilisé l'expression pour l'une de ses œuvres !) Le texte étant assez succinct, le voici *in extenso* :

> Les anglophones et anglophiles de la région de Chicoutimi auront finalement leur télévision en langue anglaise.
>
> Le Conseil de la radio-télévision canadienne vient en effet de permettre à Radio-Canada de créer une station de télévision anglaise à Chicoutimi, comme la Société l'avait réclamée dans le cadre de son Plan accéléré de rayonnement.
>
> Ce projet avait été vivement combattu par plusieurs organismes francophones de la région. Ses partisans avaient cependant fait circuler une pétition qui avait été endossée par environ 20 000 de leurs concitoyens, dont la majorité étaient manifestement de langue française. La région de Chicoutimi compte quelque 6000 anglophones.
>
> Le CRTC affirme avoir tenu compte, dans sa décision, de l'engagement de Radio-Canada d'améliorer ses services de télévision en langue française au Saguenay et au Lac-Saint-Jean.
>
> Cette région ne reçoit actuellement qu'une partie — environ 60 p.cent de la programmation française de la télévision française de la télévision de Radio-Canada, qui n'y possède pas de station propre, ayant plutôt choisi d'y acheminer son service par l'intermédiaire d'une station privée affiliée de Jonquière.
>
> Lorsque la nouvelle station de la CBC commencera à diffuser au canal 58 de la bande UHF, elle transmettra cependant la totalité de la programmation anglaise de la Société.

Qu'est-ce qui cloche dans ce compte rendu ? Les données abondent et ne manquent pas de vraisemblance, mais à peu près tout est historiquement hors contexte. Qu'on en juge.

Premier paragraphe. - La télévision a débuté en 1952 au Canada. Les contribuables anglophones et francophones bilingues de la région ont donc payé leur part du coût de la radiotélévision pendant 24 ans sans avoir bénéficié d'aucun service.

Deuxième paragraphe. - Le Plan accéléré de rayonnement (PAR) a été mis sur pied en 1974 par le secrétaire d'État Hugh Faulkner. Ce plan, entièrement financé par le gouvernement (Trudeau), avait comme objectif de doter toutes les agglomérations de cinq cents habitants et plus des services complets de radio et de télévision, et cela dans les deux langues officielles du pays. Évalué d'abord à cent millions de dollars, le plan étalé sur plusieurs années, en aura coûté le double. C'est la CBC-SRC qui fut chargée de mener à terme cet ambitieux programme.

Troisième paragraphe. - L'approbation de la télé *anglaise* par la grande majorité des *francophones* a surpris par son ampleur.

Quatrième paragraphe. - La SRC — tout comme la CBC — est devenue une entreprise hybride de par la volonté des gouvernements. Il faut rappeler que les objectifs des stations privées, dites affiliées, étaient et demeurent diamétralement opposés à ceux d'un service public. Ainsi, la Société *ne* peut absolument pas imposer sa loi aux stations affiliées. Aussi le souhait pieux du CRTC était-il un geste notoire d'hypocrisie à l'état pur, sachant mieux que quiconque dans quel cercle vicieux se trouvait la Société pour intervenir de façon efficace, en matière de programmation. Elle devait et doit encore se satisfaire des trois catégories d'émissions qui ont fait l'objet d'ententes, il y a de cela des décennies, à savoir, les émissions facultatives (qui rapportent beaucoup de fric aux affiliées), les émissions locales (id) et les émissions obligatoires, c'est-à-dire les émissions sérieuses que les affiliées passent très tard dans la nuit alors qu'il n'y a plus que les insomniaques qui sont encore à l'écoute.

Cinquième paragraphe. - Le Bureau des gouverneurs de la radiodiffusion, de triste mémoire, fut créé, rappelons-le, sous le gouvernement Diefenbaker en 1958, soit dix ans avant le CRTC qui lui a succédé. Ce fut incontestablement l'un des organismes publics les plus néfastes depuis 1867. C'est avec une inqualifiable irresponsabilité que le BGR entreprit d'accorder arbitrairement des permis d'exploitation de stations de télévision aux entrepreneurs privés.

Ces derniers s'emparèrent en peu de temps, comme jadis au Klondike, de tous les marchés lucratifs au Canada. La station CKRS-TV ne doit pas son existence à la SRC, mais au BGR. Que cette station ne diffuse que soixante pour cent de la grille-horaire de la SRC — on verra plus loin que ce chiffre n'est pas exact —, c'était pour elle une simple question de statut privilégié.

Sixième paragraphe. - « La nouvelle station anglaise (elle), d'écrire A.B., transmettra *la totalité* de la programmation anglaise de la Société ». Voilà qui dépasse l'entendement. La vérité, c'est que la soi-disant nouvelle station de télévision anglaise de Chicoutimi n'en était pas une, ne l'est pas devenue depuis et ne le sera jamais. Ce n'était et ce n'est toujours qu'un poste-relais, qu'on appelait dans le jargon un « poste perroquet », rattaché directement à CBMT, Montréal, sans feu ni lieu, sans indicatif, sans personnel et sans autre équipement qu'une simple antenne ! Ainsi les contribuables anglophones et *anglophiles* de la région ont eu à subir depuis longtemps et sans répit les sempiternels incendies de Verdun et de Montréal et toutes les calamités qui affligent les grandes villes.

Et comme supplément d'information, la moyenne du pourcentage de la grille-horaire télévision de la SRC dans la région à l'époque n'était pas de soixante pour cent mais bien de 73,5%, une différence appréciable dans les circonstances.

Contrairement au cas précédent — la fromagerie d'Oka —, il n'y avait aucun indice de mauvaise foi dans le reportage sur la soi-disant télé anglaise de Chicoutimi. Par contre, que d'ignorance et que de présomptions gratuites ! Certains en ont profité pour cueillir des retombées politiques. Le ministre des Affaires culturelles du Québec était alors Jean-Paul L'Allier. La SRC l'avait tenu bien informé de l'évolution du dossier. Il ne manquait pourtant jamais l'occasion de crier au scandale en proclamant que la télé *anglaise* allait précéder la télé française au Saguenay !

L'instinct du tueur

Le journaliste est un chasseur de nouvelles. On l'imagine mal, assis à sa table de travail, attendant que se présente un sujet à couvrir. Pour faire son boulot et réussir, il doit se rendre sur le terrain et miser sur son instinct de chasseur. Si cet instinct lui fait défaut, il devra se résigner à changer de métier. Plusieurs le font, d'où le dicton attribué à Jules Janin que « le journalisme mène à tout, à condition d'en sortir ».

L'instinct du chasseur fonctionne en deux temps : trouver sa proie et l'abattre. La nature humaine étant ce qu'elle est, trop souvent il s'attendra à ce que la proie soit docile et, dans le cas contraire, il s'en montrera offusqué. C'est d'ailleurs là l'essence même du premier article de la charte du journalisme dont s'est dotée chez nous l'Association professionnelle des journalistes du Québec (APJQ) dont il sera question plus loin. Mais le vrai journaliste n'a pas froid aux yeux et, comme un oiseau de proie, il fonce sur sa victime avec toute l'énergie dont il est capable.

Pour réussir dans ce domaine, il faut une attitude mentale qui frise l'obsession. Le journaliste s'approprie le terrifiant aphorisme du docteur Knock : « Tout homme bien portant est un malade qui s'ignore. » La transposition est simple : « Tout homme honnête est un malfaiteur qui s'ignore. » Point nécessaire d'être un Louis Jouvet pour donner froid dans le dos à qui que ce soit.

Vous pensez peut-être que c'est pousser l'analogie un peu trop loin ?

Alors, empressons-nous de nous enquérir de l'avis d'un Bernard Pivot que personne ne pourra soupçonner de manquer d'expérience et de lucidité. « Les journalistes, je vous l'ai déjà expliqué à propos des personnes interviewées, sont des prédateurs. » Maintenant, nous sommes fixés.

Rien ne saurait mieux éclairer notre lanterne, pour en terminer avec cette donnée fondamentale du métier de journaliste, qu'un exemple concret. Eh bien, en voici un.

Ancien biathlète, qui a terminé trente-quatrième aux jeux de Calgary, Ken Karpoff était analyste en biathlon pour le réseau CTV, à Lillehammer, en 1994. Or, peu de temps après la victoire de Myriam Bédard, dans le 15 km de cette discipline, Karpoff soulevait vigoureusement à la télévision la question de soi-disant cibles défectueuses sur le parcours de biathlon qui avaient valu la médaille d'or à Myriam Bédard. Fort de séquences visuelles présentées au ralenti, et jouant à l'expert, Karpoff cherchait à prouver aux téléspectateurs le mauvais fonctionnement des cibles. Selon lui, la médaille d'or aurait dû être remportée par la Française Anne Briand (médaillée d'argent) ou par la Biélorusse Svetlava Paramygina (quatrième). Au reste, cette dernière se prêtera subséquemment à une entrevue avec Karpoff.

Le chroniqueur Réjean Tremblay a qualifié cette singulière entrevue de « tordage de bras », ce dont tout téléspectateur pourra convenir. Un criminaliste expérimenté n'aurait pas su davantage tout mettre en œuvre pour intimider son témoin. D'abord, reprise des séquences au ralenti avec commentaires *ad hoc*, et ensuite, tentative des plus agressives pour troubler la jeune femme qui restera néanmoins et jusqu'à la fin impassible. « L'image n'est pas très claire, je ne peux me prononcer », répondra honnêtement Svetlana Paramygina par la bouche de son interprète. Et Karpoff d'insister en lui suggérant des phrases toutes faites. Reprise d'une séquence où l'on voit des fragments de la balle atteindre la cible et l'animateur de dire avec emportement : « Regardez ! Avez-vous corrigé votre tir *à cause de cette erreur de fonctionnement ?* » « Je n'ai rien corrigé », de répondre l'athlète. Et Karpoff d'insister avec fureur cette fois, comme dans un procès où la réponse du témoin est devenue cruciale. « Vous avez certainement connu une perte de concentration étant donné ce qui venait de se passer, et alors ? » Et refusant de tomber dans le piège que lui avait pernicieusement tendu le commentateur, Paramygina répondit qu'elle se demandait en effet ce qui se passait sans pour autant croire que la cible avait été défectueuse. Fin de l'entrevue. L'animateur et les dirigeants de CTV auraient dû, dès lors, se rendre à l'évidence et abandonner leur tentative de laisser planer un doute sur la victoire de Myriam Bédard.

Pour le profane, la démonstration visuelle du fonctionnement défectueux des cibles semblait plausible. Plus tard, les journaux ont reproduit le diagramme du dispositif avec commentaires de spécialistes qui en démontraient la simplicité. La rondelle noire de la cible bascule vers l'arrière sous l'impact de la balle. Quant aux fragments, la chose est inévitable et ne signifie rien en soi. Mais comment expliquer qu'il ne soit pas venu à Karpoff l'arrière-pensée que si des cibles avaient mal fonctionné, cela aurait affecté toutes les concurrentes, Myriam Bédard comme les autres ? Et en quoi l'entrevue d'une quatrième concurrente pouvait-elle être concluante ?

L'animateur, secondé en cela par CTV, n'en continua pas moins sa cabale auprès de la presse à Lille-hammer, en présence de journalistes venus du monde entier ! « Pourquoi Ken Karpoff, demandera Réjean Tremblay, s'est-il acharné avec autant de rage à démolir la victoire de Myriam Bédard ? Et comment CTV, un réseau sérieux, à ce qu'il paraît, a-t-il pu laisser un ancien biathlète, qui n'a qu'une expérience très limitée comme journaliste, lancer autant de merde sur les ondes sans avoir tenté d'obtenir des explications ou des confirmations d'autres experts ? » Perspicace, Tremblay finira par aborder le récalcitrant et lui posera directement une question des plus pertinentes : « Dis, Ken, est-ce l'athlète qui a réagi devant ce qui semblait être une injustice ou est-ce le reporter qui avait une bonne histoire ? » « C'est le reporter, répond l'autre. Je suis ici en tant que journaliste, je fais le travail de journaliste. Je suis prêt à vivre avec les conséquences, je ne suis pas le premier journaliste à ne pas être très populaire dans son pays... bla, bla... » [sic]. Très courageux, cet homme.

Sous le titre « CTV rate la cible en biathlon », Réjean Tremblay expliquera les conséquences du geste invraisemblable de Karpoff et de son réseau. « Pendant de nombreuses heures, les journalistes canadiens ont dû se lancer à la chasse aux informations, aux confirmations et aux démentis après avoir visionné dans les studios de CTV à Lillehammer un vidéo supposément incriminant et pouvant ternir la médaille d'or de Myriam Bédard. Le tout dans une atmosphère de tension et d'agressivité. »

Et Myriam Bédard dans toute cette controverse ? « J'étais très fâchée ! Cet analyste n'avait pas raison de contester ma victoire. Je n'ai jamais aimé les sports où l'injustice peut jouer un rôle dans la victoire d'un ou d'une concurrente. Et j'estime que cette affaire a nui à mon sport, le biathlon. Je dois dire toutefois que les autres concurrentes n'ont pas eu vent de cette affaire et aucune ne m'en a parlé. » Au reste, les règlements permettent aux concurrents d'intervenir dans le cas d'irrégularités. Personne n'a posé de geste en ce sens. C'était concluant en soi.

Outre les journalistes canadiens, l'Union international nationale de biathlon, les délégués techniques, les entraîneurs, les coachs, les techniciens américains, bref, tous les intéressés ont mis un point final à cette histoire rocambolesque.

Information, opinion, spectacle

Le droit du public à l'information

De prime abord, le principe selon lequel le public a droit à l'information semble irréfutable. Lorsqu'on y regarde de plus près, on y trouve davantage les attributs du sauf-conduit qui permet au porteur, au journaliste s'entend, de se faufiler partout, de poser toutes les questions qui lui viennent à l'esprit, de provoquer tout interlocuteur, fût-il la plus haute autorité en la matière, ou de laisser planer le doute sur l'intégrité, voire l'honnêteté des gens. Tellement d'abus ont été commis et le sont tous les jours au nom de ce sacro-saint principe — *that convenient abstraction* (« cette abstraction commode ») —, comme le dit si bien Peter Ustinov, qu'il nous est devenu difficile d'y voir maintenant autre chose qu'un slogan creux à saveur morale douteuse. C'est un peu devenu l'équivalent contemporain de « liberté, égalité, fraternité ». C'est sublime, mais c'est sans portée.

On dit du sophisme qu'il est un raisonnement faux malgré une apparence de vérité. Nous sommes sur la bonne piste, celle qui mène tout droit à une maxime de La Rochefoucauld : « La vérité ne fait pas tant de bien dans le monde que les apparences font de mal. » Les médias, la télévision surtout qui leur sert de fer de lance (Pierre Péladeau* n'a pas craint d'affirmer que les journaux sont à la remorque de la télévision), excellent tous dans ce jeu dangereux qui mine les fondements de la démocratie. Rien de moins.

Voilà qui est propre à soulever l'indignation. Le problème est de taille car les journalistes, qui profitent énormément de l'information spectacle et qui imposent leur loi comme un droit acquis, n'accepteront jamais la moindre intervention, *because* le droit du public à l'information ! N'est-ce pas touchant de leur part que cet attachement sans borne au bien-être du public !

Grâce au ciel, des professionnels parmi les journalistes s'inquiètent également de l'ampleur du phénomène. Dans les circonstances, seul le jugement critique de personnes de métier est susceptible, non de changer quoi que ce soit dans l'immédiat, mais de semer le doute dans la caste. Le seul espoir qu'il est permis d'entrevoir est celui d'un éventuel changement de mentalité. On ne pourra mettre en doute la rigueur intellectuelle du journaliste Laurent Laplante, ancien éditorialiste au journal *Le Devoir*. On lui doit un ouvrage publié en 1992 sous le titre *L'information, un produit comme les autres ?* par l'Institut québécois de recherche sur la culture (IQRC).

---

* « Le scoop n'existe plus. Aujourd'hui, c'est le follow-up » (causerie, hôtel Reine Elizabeth, Montréal, 18 novembre 1980).

Voyons ce qu'il pense de cette question épineuse : « Le droit du public à l'information constitue, dans la théologie des journalistes, le dogme fondamental. Ce droit sert de base, en effet, selon une logique rarement remise en question, au droit journalistique de poser des questions et, toujours en vertu de la même logique, à celui d'exiger des réponses. Ne serait-ce qu'en raison des reproches adressés aux journalistes quant à leur manie de chercher " la petite bête noire " et de violer sans vergogne l'intimité des gens, il est quand même pertinent, peut-être même urgent, de vérifier si cette logique ne comporte pas des failles, si, en d'autres termes, le lien est solide entre le droit du public à l'information et celui qu'en déduisent les journalistes. »

Laplante va au cœur du problème et il fait preuve de courage vis-à-vis de la majorité de ses confrères plus enclins à l'abus qu'à l'autocritique. Et poursuivant son cheminement, il écrit : « Au nom de cette liberté-là, cependant, bien des crimes furent commis et se commettent. [...] Dès l'instant où des faits " salissants " ont été relayés par un média, un dommage a été causé à la réputation. [...] Quel lien existe-t-il dans ces cas entre le droit du public à l'information et le voyeurisme sadique de certains journalistes ? [...] Les journalistes imposent avec une candide arrogance leurs règles du jeu... »

Revenons sur ce qui constitue peut-être l'objet de la plus grande irritation de la part des lecteurs, des auditeurs et des téléspectateurs fatigués à l'extrême du comportement abusif de la majorité des journalistes, au point de se sentir toujours portés à se ranger du côté de la victime, de sympathiser d'emblée avec ce que les Américains appellent *l'underdog*, soit celui qui reçoit injustement une raclée dans un combat. Laurent Laplante s'insurge, comme chacun de nous, contre le droit que les journalistes s'arrogent *d'exiger* une réponse. Son diagnostic est strict et sans artifices : « Tout se déroule, en effet, dans le face à face quotidien et structurel auquel se livrent le journaliste et le personnage public, comme si le premier avait le droit de soulever les questions de son choix et comme si le second n'avait d'autre choix, d'autre dignité en tout cas, que d'y répondre. Ce qui sous-entend la bonne conscience journalistique et la certitude que tous sont redevables de leurs actes devant le tribunal des mass-médias. [...] Le tout est de savoir si ce lien résiste à l'examen et à la critique, *si l'obligation d'une reddition de comptes entraîne comme corollaire incontournable l'obligation de rendre des comptes aux journalistes* » (souligné dans le texte).

Sauf erreur, c'est à Pierre O'Neil, qui fut pendant de nombreuses années le directeur de l'information (nouvelles et affaires publiques, radio et télévision, SRC), que revient la paternité de l'expression « procureurs de la couronne », attribuée aux journalistes qui se font un point d'honneur, si l'on peut dire, de violenter leurs interlocuteurs de façon immodérée et de créer, ce faisant, l'ambiance d'un procès. Or, est-il besoin de dire qu'il n'existe aucune justification à cette mascarade qui ne tient qu'à un flagrant abus de pouvoir.

Pareille intimidation ne devrait pas être tolérée dans une société démocratique. À quand le jour, ou le soir, où un interlocuteur de marque aura le singulier courage de répondre : « Enfin, monsieur (ou madame), mais pour qui vous prenez-vous pour me poser pareille question ! » Ou mieux encore, « Moi, monsieur je vous dis *merde* ! » dans le style du général américain

McAuliffe* que les Allemands pressaient de se rendre sans condition (en Bastogne, en 1944).

Une telle réplique, qui soulagerait tellement l'auditoire, est devenue, hélas, techniquement impossible, car la séquence serait mise de côté lors du montage de l'émission en cause, sous prétexte de « difficulté technique » ou autre subterfuge. Mais la question, plus pertinente que jamais, est celle-ci : finira-t-on par mettre un terme à cette injustice intolérable qui tient lieu de procédure de travail ? C'est un cas d'imposture que chacun se doit de dénoncer d'autant plus que personne n'est désormais à l'abri de ce subterfuge.

L'opinion publique

Puisque c'est en donnant « l'opinion » de quelques grands esprits sur la presse que nous avons abordé ce qui fait l'objet de cet essai, nous aurions mauvaise grâce de nous priver de recul en ce qui a trait à la notion bien particulière de l'opinion publique. On s'en préoccupait déjà dans l'Antiquité.

Épictète : « Les hommes sont tourmentés par l'opinion qu'ils ont des choses, non par les choses elles-mêmes. [...] Ce qui [les] trouble, ce ne sont pas les choses, ce sont les jugements qu'ils portent sur les choses. »

Marc-Aurèle : « Songe que tout n'est qu'opinion, et que l'opinion elle-même dépend de toi. Supprime donc ton opinion ; et, comme un vaisseau qui a doublé le cap, tu trouveras mer apaisée, calme complet, golfe sans vague. »

---

* La censure américaine a fait dire au brave général: « *Nuts !* »

97

Georg-Christoph Lichtenberg : « Rien ne contribue davantage à la sérénité de l'âme que de n'avoir aucune opinion. »

Oscar Wilde : « Quand les gens sont du même avis que moi, j'ai toujours le sentiment que je me suis trompé. »

Paul Valéry : « Le mensonge et la crédulité s'accouplent et engendrent l'opinion. »

Jean Rostand : « Souvent, il nous déplaît de retrouver nos opinions chez autrui : elles y sont dénuées de tout ce qui, en nous, nous les rend acceptables. »

Voilà autant d'*opinions* qui concordent à réduire l'opinion à sa juste mesure, zéro ! Quel paradoxe qu'elle ait pris une telle importance de nos jours. Voilà qui n'est pas très flatteur pour notre époque.

L'opinion publique serait-elle la somme de toutes les opinions individuelles ou la moyenne établie entre elles par de savants calculs ? Peu importe, puisque nous ne pouvons nier son existence et que nous devons admettre qu'elle a pris une ampleur à ce point considérable qu'elle nous apparaît maintenant démesurée.

Selon John Saul, « en s'adressant aux citoyens et non à leurs dirigeants ou aux autres penseurs, [Voltaire] inventa l'opinion publique telle que nous la concevons aujourd'hui ».

Alain Minc, dans *Le média-choc* (1993), nous rappelle une vérité méconnue ayant trait à l'opinion publique : « Devenue désormais l'enjeu essentiel de la politique, l'opinion publique n'a pas toujours existé. Du moins telle qu'aujourd'hui elle s'exprime : par des humeurs quotidiennes dont les sondages constituent le seul thermomètre. » Les politologues — cette « espèce animale en plein développement » — poursuit Minc, « dont les médias, et en particulier la télévision, constituent le terrier, [...] fort de son auréole scientifique, s'appuyant sur des masses d'indicateurs chiffrés, plein de son rôle, peut traverser l'arène politique en émettant des jugements qui prennent évidemment de haut cet univers d'à-peu-près et d'approximation. Résultat : l'opinion publique existe ; les sondages en témoignent. » Et Alain Minc pose la question : « Les sondages auraient-ils inventé l'opinion publique ? » On a vu que non.

L'auréole scientifique joue dans notre société le même rôle que celui des incantations du sorcier dans la tribu primitive. Il en résulte un ensorcellement qui est de nature infantile. Si quelque chose est « scientifique » ou considéré comme tel, tout le monde s'incline béatement. Or, rien n'est plus contraire à l'esprit scientifique. Conscient de cette attitude de soumission aveugle du public face à la science, un scientifique, Anthony Standen, a consacré un ouvrage, en 1950, pour démythifier la science. Il a pour titre : *Science is a Sacred Cow*.

C'est tout au crédit du journal *La Presse* d'avoir publié une excellente prestation de l'écrivain et éditeur Alain Stanké portant sur les sondages. Stanké s'y attaque avec humour et sens commun. Voici le genre d'exemple qu'il donne aux lecteurs : « Près de 75 % des Canadiens sont favorables à l'euthanasie. » « Pour eux, ajoute-t-il dans une parenthèse, ou pour les autres ? » Quel jeu d'enfant pour lui que de démontrer le ridicule d'un flot de données statistiques, présumément scientifiques ! « Je souffre de " sondagite " aiguë et de " statisticose ". [Les sondeurs] pensent, donc je suis. » Un pion dans l'échiquier médiatique.

« On nous affirme, pour nous rassurer, poursuit-il, que ce genre de sondages n'a qu'une marge d'erreur de 3 %. Ça change quoi, au fond ? Même si un million de personnes disent une bêtise, ça reste une bêtise ! » Citant d'autres chiffres, sur un autre sujet, il conclut : « Si vous avez saisi ce que ça prouve, téléphonez-moi ! » Décidément, cet homme pourrait donner un cours d'hygiène mentale. Et, enfin : « Les sondeurs voudraient que leur technique soit considérée comme un nouvel humanisme d'inspiration scientifique. Le sondage serait censé, selon eux, nous servir d'instrument d'aide à la décision. Je ne sais pas ce que vous en pensez, mais, pour ma part, j'ai beau ingurgiter, digérer, déglutir les résultats de ce genre d'enquêtes à mesure qu'on me les impose, plutôt que de m'aider dans mes décisions, ils créent en moi un colossal embrouillamini. »

Les médias nous inondent de sondages. En temps d'élections*, le procédé a quelque chose d'odieux car il accélère les tendances et fausse le jeu de la libre conscience. Beaucoup d'encre a coulé sur la question de les interdire en période électorale. Mais la situation n'est guère plus supportable entre les élections. On nous impose alors toute la gamme de sujets que suggère l'imagination.

Malgré le fléau des sondages, nous aurions tort de les confondre avec l'opinion publique. Chacun de nous éprouve le sentiment légitime d'avoir droit à son opinion. Rien n'est plus réconfortant. Et rappelons-nous la

---

* En France où les sondages sont interdits une semaine avant le jour du scrutin, ce fut l'enfance de l'art récemment que de contrevenir à la loi avec la complicité d'un pays voisin, la Suisse.

sage pensée de Montaigne, « il ne fut jamais au monde deux opinions semblables ».

L'information spectacle

Le concept de l'information spectacle remonte aux origines de la télévision américaine. Les aînés parmi nous se souviennent du *Ed Sullivan Show*, scandé par les applaudissements de l'assistance, exactement comme au cirque. Ce genre d'émissions a donné le ton à la télévision américaine. Cette dernière s'empressa de remplacer les applaudissements *live*, comme on dit en France, par des enregistrements de rires et de claques. Depuis lors, est-il besoin de le dire, la télévision états-unisienne n'a cessé d'abuser de ce procédé abject. Ce n'est pas un élément important en soi, mais c'est un irritant. Ce qui nous préoccupe, c'est l'équation télévision = showbiz.

Neil Postman, dans son analyse de la télévision made in USA, *Se distraire à en mourir*, a écrit : « Le problème n'est pas que la télévision nous offre des divertissements, mais que tous les sujets soient traités sous forme de divertissement, ce qui est une autre affaire. [...] Les informations télévisées ne sont pas là pour notre éducation, notre réflexion, ni dans un but catharsique, elles sont seulement prétextes à divertissement. » Ce diagnostic vaut également pour notre propre télévision trop souvent calquée, parfois servilement, sur celle de notre puissant voisin.

Revenons à la genèse de notre télévision. Malgré l'excellente cote d'écoute de l'émission *Music Hall*, animée par Michèle Tisseyre, présentée en lieu et place de l'émission *The Ed Sullivan Show*, beaucoup de gens regardaient cette dernière dont les moyens étaient de loin plus imposants que ceux de notre télévision naissante. Aussi a-t-on développé au Québec ce qu'on pourrait appeler le réflexe « Ed Sullivan » qui se manifestait, dans l'attente du tour prodigieux des acrobates, de l'insolite ou du gag, par la manie d'applaudir à tort et à travers lors de la présentation de spectacles et de pièces de théâtre. Gratien Gélinas a eu beaucoup à souffrir de ce tic nouveau des spectateurs, de rire, voire d'applaudir, aux moments les plus pathétiques. Et que dire des comédiens français en tournée ici ? Déconcertés par un comportement aussi incompréhensible, ils ne pouvaient savoir que c'était un cas de régression collective. Au reste, ce trait puéril de nos auditoires n'est pas encore disparu. Nous le retrouvons non seulement au théâtre mais à l'opéra et même au concert. L'auditoire est constamment à l'affût de quelque chose d'insolite, de drôle comme s'il s'agissait d'un happening.

La télévision américaine s'est rapidement axée sur deux pôles : la *situation comedy* (sitcom) et la publicité. L'impact dans le monde entier a été considérable. Le *showbiz* s'imposa dès lors comme le moteur de la télévision. Dans le jargon, on utilise surtout le terme locomotive. C'est tout dire.

À l'origine, la présentation des bulletins de nouvelles constituait un problème difficile chez nous. La formule était austère, rigide même. L'exemple classique entre tous qu'on nous redonne à l'occasion est celui de Gaétan Montreuil lisant le manifeste du FLQ, lors de la crise d'octobre 1970. Cela tenait par ailleurs au fait que la technologie était encore dans son enfance et offrait peu de possibilités. On trouva assez tôt une solution au problème : la mise en pages — « l'ordre d'entrée en scène », Laurent Laplante *dixit* —, tout comme dans les journaux ou au théâtre, mais avec cette différence près que l'image allait permettre de captiver le téléspectateur, de le tenir en haleine, de créer chez lui l'accoutumance, voire la dépendance.

La chasse aux images a créé un nouveau marché pour l'industrie cinématographique et les agences de presse. On s'est empressé d'y répondre. L'escalade fut d'autant plus rapide que la technologie progressait à un rythme accéléré. Pensons aux satellites. Et comme les communications mondiales se développaient également de façon fulgurante, commença le déluge des nouvelles les plus spectaculaires, des catastrophes naturelles aux guerres, en passant par la famine et les hécatombes. Finie la pénurie de nouvelles dénuées d'images saisissantes.

L'assassinat du président John F. Kennedy, celui de son présumé assassin, Lee Harvey Oswald, et celui du président égyptien, Anouar al-Sadate, furent autant de phases parmi les plus dramatiques de cette évolution médiatique. Mais l'étape suprême aura été atteinte lors de la guerre du Golfe par le désormais célèbre Cable News Network (CNN). Ce fut le point tournant. À partir de ce moment, toutes les chaînes, grandes et petites, furent assurées, moyennant paiement, d'être alimentées d'images insurpassables sur n'importe quel événement et en quelque provenance que ce soit dans le monde. La pieuvre médiatique s'est alors emparée de la planète entière et elle a imposé sa loi : le *supershow* de l'événement ou, plus précisément, celui de l'instantanéité.

Dans un tel contexte, on ne pouvait pas s'attendre que les autres sphères de l'activité humaine pussent échapper à l'emprise de la gloutonnerie médiatique. Les médias sont devenus en proie à une fièvre non pas chronique mais aiguë. C'est de raz de marée qu'il faudrait plutôt parler. André Malraux a dit de ces raz de marée qu'ils « emportent, avec les valeurs d'une société, cette société elle-même ». Paroles combien prophétiques.

L'emprise médiatique a franchi le point de non-retour. Nous devrons apprendre, puisque nous sommes tous désormais sous son empire, à assumer notre nouvelle condition de captif. Déjà, les reportages de guerres, de famines et autres cataclysmes sont d'une acuité insupportable. La misère humaine — les souffrances intolérables de millions d'enfants, de femmes et de vieillards — nous est donnée en pâture quotidiennement dans une vision apocalyptique auprès de laquelle l'Enfer de Dante apparaît comme un conte de fées. Et, non satisfaite de nous inonder de toutes les horreurs de la terre, la télévision, pour être fidèle à elle-même, redouble de zèle dans sa présentation des nouvelles locales, nationales et sur tous les autres plans. La symphonie médiatique est en un mouvement : *fortissimo*. L'événement spectacle est devenu morbide. La démence collective nous guette.

Comme le mathématicien et philosophe Bertrand Russell l'avait fait sans relâche jusqu'à la fin de sa longue et fructueuse vie, le romancier octogénaire Alberto Moravia a lutté jusqu'au terme de son existence contre le péril nucléaire. Il a même accepté de participer, comme député, aux assises du parlement européen. Ses multiples entrevues à la télévision l'ont laissé très perplexe : « J'ai souvent eu l'impression, à la télévision, que ma propagande antinucléaire devenait justement de la comédie, c'est-à-dire un spectacle, au moment même où j'apparaissais sur l'écran. [...] Cette tendance à prendre l'information pour un passe-temps s'étend même aux journaux télévisés : les nouvelles, même les plus terribles, comme celles de catastrophes écologiques, sont d'instinct mises par le public au niveau des films d'horreur, c'est-à-dire de films qui amusent en se servant de la peur. [...] Sur la place publique [à Vérone], une jeune fille a couru vers moi en criant : " Comme je suis heureuse de vous connaître : qui êtes-vous ? " La phrase signifiait qu'elle m'avait déjà vu sur l'écran vidéo et, par conséquent, qu'elle m'aimait ; mais elle ne savait pas qui j'étais. »

Sur le banc des accusés

Les médias touchent à tout, ce qui est propre à confirmer leur vocation de généralistes mais augmente d'autant pour eux les risques de se fourvoyer. Jamais a-t-on vu autant de réactions à leurs allégations. Si seulement ils pouvaient se prémunir contre les poursuites par des polices d'assurance, que la vie serait belle ! Plusieurs d'entre eux disposent depuis longtemps d'un contentieux. C'est le cas de la CBC-SRC. Quant aux autres, il serait intéressant de connaître le pourcentage de la clientèle des avocats qu'ils représentent. Quoi qu'il en soit, il y a tout lieu de parler d'un syndrome de vulnérabilité qui doit commencer à peser lourdement sur les esprits.

Voici un court échantillonnage qui ne s'échelonne que sur quelques semaines (premier trimestre de 1994) et qui illustre le phénomène. Le tout a été réduit à dix cas : on peut être assuré qu'il ne s'agit que de la fine pointe de l'iceberg. Les dates et les journaux en cause importent peu : seul l'ordre chronologique a été retenu.

1. Colloque à Atlanta sur les relations entre les journalistes et les athlètes professionnels. Le thème ne frappait pas par sa concision : « Les relations entre les athlètes professionnels et les journalistes se sont considérablement détériorées au cours des récentes années. Certains considèrent qu'elles ont atteint leur niveau le plus bas de l'histoire. Que devons-nous faire pour parvenir à nous entendre ? » « C'était un bon départ », eût dit René Lecavalier. Pourtant, le compte rendu se terminait comme suit : « On n'a rien appris de vraiment neuf. Les joueurs considèrent toujours la presse comme un mal nécessaire. » Pas très flatteur pour la fraternité des journalistes.

2. Titre sur toute la largeur du tabloïd : « Furieux, Pagé (Pierre) s'en prend à la presse du Québec. » Et le fougueux coach des Nordiques de s'expliquer en mesurant toutefois ses mots : « Ça ne me dérange pas qu'on nous critique. J'admets qu'on ne mérite pas de fleurs cette saison. Mais je trouve injuste l'atmosphère négative qui règne depuis environ une semaine. »

3. Cette fois, le commentaire vient de l'éditorialiste en chef de *La Presse*, Alain Dubuc : « Son message [il s'agit du Dr Richard Lessard, le directeur de la santé publique de Montréal-Centre], *mal compris par les médias* [nous soulignons], consiste à dire aux gouvernements que, puisqu'ils ont décidé de baisser les taxes sur les cigarettes, ils doivent introduire de façon simultanée des mesures compensatoires de protection de la santé. » Comment des professionnels de la communication peuvent-ils en arriver là ?

4. Titre : « Poursuite de 1,45 million contre Radio-Canada. » Des gens de l'industrie des courses de chevaux

réagissent à l'émission *Enjeux* du 12 février. Les trois demandeurs (Le Jockey Club du Québec inc., la Société des propriétaires et éleveurs de chevaux standardbred du Québec — SPECSQ — et l'ex-maire de Laval, Lucien Paiement) considèrent que l'émission intitulée *Dopage, collusion et favoritisme* n'avait été qu'une « juxtaposition d'événements isolés, de demi-vérités et de faussetés aberrantes qui laissent croire que les courses de chevaux au Québec sont le fief de gens peu scrupuleux, malhonnêtes, accapareurs, spéculateurs fonciers et reliés au monde interlope, peut-on lire dans le texte de la poursuite ». Dossier à suivre.

5. En manchette : « Parler contre les "maudits Indiens", ça défoule et ça ne coûte pas cher... » Ces propos sont de Michèle Rouleau, l'ex-présidente de l'Association des femmes autochtones du Québec. Elle tire la conclusion suivante : « C'est triste l'ignorance, mais c'est encore plus triste quand on l'encourage. » Voilà un témoignage assez troublant de la part d'une personne aussi responsable.

6. « Le député Jag Bhaduria accuse les médias. » « J'ai été accusé et exécuté en raison de leur ignorance, a-t-il déclaré aux Communes, hier. Ils {les médias} ont semé l'hystérie sans avoir d'abord vérifié les faits au sujet de mes qualités académiques. » Les conséquences de cette campagne de presse contre lui ont été des plus néfastes. Un an plus tard, en février 1995, le magazine *Saturday Night* lui consacrait un article. Rappelons que le député, à la suite des allégations des médias, s'était vu froidement exclu du caucus libéral sans autre examen et sans avoir joui du droit d'appel, tout cela en raison de la condamnation sans procès par les médias. On l'avait alors

accusé d'avoir faussé ses qualifications académiques. Or, dans l'article publié dans *Saturday Night*, Kenneth Whyte écrit que Jag Bhaduria compte parmi les politiciens les plus instruits du pays : bachelier en sciences, maître en physique, maître en administration et docteur en mathématiques.

George Bain, dans *Gotcha !*, affirme que la politique et les médias tendent à se confondre. Il cite Douglas Fisher, un collègue : « La politique, c'est de plus en plus les médias, et inversement. » Il fait une rétrospective du cas de Sinclair Stevens, ministre dans le cabinet Mulroney, vilipendé sans répit par les médias, à la suite de quoi son nom fut rayé de la liste des candidats lors de l'élection suivante qui a reporté les conservateurs au pouvoir. Or, plusieurs allégations parmi les plus incriminantes étaient sans fondement. Ainsi, sa femme n'a pas obtenu un prêt sans intérêt pour la première année, comme on l'a prétendu alors. Il n'y a pas eu rectification dans la presse. Qui pourrait douter maintenant de la puissance excessive du quatrième pouvoir ? Il y a lieu de reconnaître l'existence d'un tribunal illicite, néanmoins agissant et impitoyable, et qui fonctionne au petit bonheur, sans égards pour la justice et les droits de la personne. Les cas abondent.

7. En provenance de Washington (Reuter). Sous le titre « C'est la faute aux médias, dit la Maison-Blanche », dont la porte-parole, Dee Dee Mayers, « accuse les républicains d'alimenter la frénésie médiatique autour de l'affaire ». Il s'agit, bien sûr, de l'affaire Whitewater qui met en cause l'intégrité de l'épouse du président Clinton, Hillary. « Je crois, a-t-elle ajouté, qu'il y a une grande différence entre des articles

crédibles et des rumeurs insensées et infondées [*sic*]. Mais quand des articles insensés, sans preuve crédible, provoquent des interrogations de dizaines d'organes de presse reconnus [*sic*], je crois que nous devons y réfléchir tranquillement et nous demander pourquoi. »

À noter, encore une fois, la sourdine. La prudence la plus élémentaire interdit d'attaquer de front pareille puissance au pays du premier amendement. Cela vaut même, et surtout, est-on tenté de dire, pour la Maison-Blanche.

8. En marge de l'affaire du collège militaire de Saint-Jean, *La Presse* a publié et mis en exergue une assez longue lettre en provenance de Kingston et signée Ginette Leblanc. Le titre, en caractère gras, se lisait comme suit : « Kingston : on noircit la réalité. » Voici comment la correspondante abordait le sujet : « Citoyenne de Kingston, je suis outrée de lire de fausses informations au sujet de notre ville. Ce fut le cas avec la manchette du journal *La Presse* du 6 mars dernier, où on titrait " Pas de services en français à Kingston ". »

« Je lis régulièrement *La Presse*, de poursuivre la correspondante, (oui, je peux l'obtenir dans différents dépanneurs de la ville) et je trouve que les articles récents ne reflètent pas la réalité et ne servent qu'à envenimer le débat sur la fermeture du collège militaire de Saint-Jean. Je me sens une obligation morale de clarifier certains faits. »

L'affaire du collège militaire Saint-Jean est devenue fortement politisée par la suite. Aussi les médias en ont-ils traité abondamment. Ce fut une véritable partie de ping-pong. N'est-ce pas ainsi qu'on aborde la plupart des problèmes de la collectivité ? Sauf erreur, personne dans le monde médiatique n'a jugé à propos de saisir le public des propositions formulées alors par les coprésidents d'un comité spécial mis sur pied pour résoudre l'impasse, MM. Claude Castonguay et Gilles Cloutier, ce dernier ancien recteur de l'université de Montréal. Une omission regrettable.

9. Ce n'est pas tous les jours qu'un ministre se permet une sortie contre un journaliste, au demeurant, un des ténors de la Southam Press ! Voilà qui semble bien avoir justifié un titre assez frappant : « Ciaccia s'en prend à un chroniqueur du quotidien *The Gazette* », Bill Johnson, du quotidien *The Gazette*, l'accusant de « faire de la désinformation sur le Québec dans le reste du Canada ».

10. Et pour finir en beauté, une dépêche de l'Agence France-Presse à Londres ayant pour titre « Le prince Charles prend la défense de la famille royale ».

« Le prince Charles a défendu la famille royale britannique contre ses détracteurs qui l'accusent d'être devenue une " monarchie-showbiz ", dans un long entretien publié par le *Mail On Sunday* ». « Ce sont les médias », de dire le prince Charles, « qui ont aidé à créer cette idée de showbiz. Ce sont eux qui l'ont inventée, pas nous ».

Le parallèle est frappant entre le sort de la famille Windsor et celui de Kurt Waldheim, à cette différence près que ce dernier a cessé de faire l'objet d'un harcèlement incessant. Peter Ustinov s'est demandé pourquoi la famille royale était si vulnérable aux assauts contre sa vie privée comme si elle avait perdu le droit d'en avoir une. L'attitude générale, selon lui, tiendrait à « un mélange de déférence médiévale et de truculence moderne ». On s'attend de la famille royale qu'elle ne porte pas attention à l'insulte et au comportement désinvolte qui s'inscrivent pourtant en violation flagrante de la loi. Et pourquoi les accords d'Helsinki sur les droits de la personne, de conclure Ustinov, ne s'appliqueraient-ils pas à la royauté, une espèce en voie de disparition ?

La réalité, c'est que les médias exercent un droit de pâturage. Or, pareille prérogative remonte au Moyen Âge ! La métaphore montre le ridicule de la situation. Qu'à cela ne tienne. Nous sommes tenus de nous résigner à reconnaître *le pâturage médiatique*, à savoir les champs privilégiés où les médias *aiment* brouter...

Les médias se montrent si sûrs d'eux-mêmes qu'on doit se demander d'où leur vient cette belle assurance. La seule hypothèse possible pourrait être la prescription, ce mode de jouissance non interrompu d'un bien ou d'une propriété sur un certain nombre d'années. Malgré l'âge vénérable de la presse écrite, cet expédient juridique ne saurait justifier la position privilégiée dont les médias jouissent de nos jours en regard du pouvoir politique. Dans *Stépantchikovo et ses habitants*, de Dostoïevski, le héros s'empare graduellement de l'hôtel particulier de ses hôtes parce qu'il s'y trouve bien.

Nous, les citoyens libres d'un pays libre, nous sommes en droit de nous demander de qui, effectivement, les médias tiennent leur mandat. De personne, évidemment. Au reste, la question semble plutôt superflue puisqu'ils agissent comme s'ils étaient, par génération spontanée pour ainsi dire, les mandataires de la population. C'est un cas manifeste d'usurpation de pouvoir. C'est également un cas de supercherie. Nul doute que le génial auteur de *Tartuffe* se fût follement amusé de créer une comédie sur un thème aussi riche de possibilités ! Lorsqu'il y a controverse sur un sujet donné et que le doute commence à percer dans le public, les médias recourent aussitôt à l'autoaffirmation comme si la chose allait de soi. Et invariablement le tour est joué. Qui contestera ? Qui pourrait être en position de contester quoi que ce soit ? Seul, bien sûr, l'État est ou pourrait être en position de le faire en leur imposant de nouvelles règles de jeu. Tout le monde sait qu'il s'en gardera bien, d'abord par prudence élémentaire envers un adversaire aussi coriace, et ensuite parce qu'il est conscient des conséquences redoutables d'une telle réaction de sa part. Seules les dictatures ont tenté ce genre d'aventure, avec le succès que l'on sait.

L'État serait-il devenu vulnérable ? Sans l'ombre d'un doute. Pourrions-nous parler de prise en otage ? Serait-il en sursis ? Le quatrième pouvoir serait-il devenu souverain ? Autant de questions d'actualité auxquelles nous osons à peine penser tant elles sont troublantes.

Le pouvoir politique, qu'on appelle encore par habitude « le » pouvoir, ne jouit pas de nos jours d'une grande estime. C'est un euphémisme. Que les politiciens y soient pour quelque chose, c'est indéniable. Mais, en dernière analyse, qui s'évertue à miner systématiquement leur crédibilité, et partant, celle du pouvoir, si ce ne sont les médias ? Bien entendu, une certaine vigilance s'impose. Il y va du bien public. Mais alors, pourquoi cette atmosphère morose de méfiance, voire d'hostilité constante envers les élus ? Le rôle de chien de garde ne revient-il pas d'office à l'opposition officielle ? Voyons ce qu'en pense madame Lise Bissonnette : « Les électeurs affichent un souverain mépris du pouvoir. Ils sont indifférents au " bon bord ". D'intérêt pour les politicologues, la chose est inquiétante pour tous les politiciens. Car à travers le pouvoir, le mépris s'adresse d'évidence à ceux qui l'incarnent. »

C'est sous le titre imagé de « La grande allergie » que la directrice du *Devoir* a publié, le 17 octobre 1994, l'éditorial dont l'extrait ci-dessus est tiré. Son essai, soit dit en passant, ne se bornait pas à nos frontières. Et pour accuser davantage la charge, on a mis graphiquement en exergue un extrait particulièrement percutant du texte : « Une persistante odeur de privilège, de mensonge, d'hypocrisie et de cynisme. » Pour un diagnostic plus amène à l'égard des politiciens, il faudra repasser.

« Les vieilles démocraties sont allergiques à leur leadership, écrit Lise Bissonnette. [...] La classe politicienne renvoie la balle aux médias, générateurs de scepticisme. Et c'est vrai que notre pilonnage est systématique, constant, sans pitié. *Au rôle d'opposition qui revient à la presse* [nous soulignons] et dont la gent politique a le devoir de s'accommoder, s'ajoute en Amérique du Nord une stridence particulière. Quiconque veut haïr ses représentants de tous niveaux n'a qu'à se laisser porter par le flot de l'invective [...]. » Le lecteur se trouve d'emblée collé à la frontière américaine : ça sent le premier amendement à plein nez. Nous y reviendrons.

Le journaliste George Bain, quant à lui, traite dans son ouvrage de cette tendance à considérer les politiciens comme des ennemis. Il a observé que, depuis l'époque de Louis Saint-Laurent, les médias accordent beaucoup plus d'attention aux gouvernements et qu'ils sont devenus extrêmement caustiques envers ceux-ci. Il constate, par ailleurs, que les médias tendent à favoriser les groupes intermédiaires en les substituant aux politiciens dûment élus. « De plus en plus, et avec la connivence des médias, ce sont les groupes intermédiaires qui usurpent la place que devraient occuper les élus du peuple. » Cette dernière observation démontre, si besoin en était, avec quelle désinvolture, avec quel *mépris* nos politiciens sont traités. Mais revenons à l'essence de la question soulevée par madame Bissonnette.

À la lumière de ce qui précède, la presse s'arroge indiscutablement une prérogative qui n'est pas rigoureusement de son ressort. Pour éviter un débat sémantique, admettons que jouer le rôle d'opposition n'est pas jouer le rôle *de* l'opposition. C'est évident. Mais on concédera que l'énoncé, dans sa formulation, prête à une querelle byzantine. Nous ne sommes guère plus avancés. Ce qui est certain, et madame Bissonnette évite toute équivoque sur ce point, c'est que la presse et tous les médias sont conscients de leur puissance et entendent l'exercer.

Lysiane Gagnon a formulé récemment, de façon plus sobre, sa perspective sur le sujet dans une *réplique* — et non pas dans une NDLR, ce qui est exceptionnel — : « C'est [...] l'un des premiers devoirs des journalistes que d'être particulièrement critiques envers ceux qui détiennent le pouvoir. » Pour paraphraser un slogan publicitaire courant, la modération aurait-elle meilleur goût ?

Le pouvoir politique, c'est incontestable, est soumis à une telle pression par les médias qu'il est en état de siège permanent. Il n'a d'autre ressource que la défensive. En définitive, un rapport de forces aussi déséquilibré ne peut être que néfaste, périlleux même, pour la démocratie. Par voie de conséquence, et c'est un comble, l'immunité journalistique a succédé à l'immunité parlementaire.

Laurent Laplante fait remarquer que les journalistes disposent du droit de réplique sous la forme, le plus souvent, d'une note de la rédaction (NDLR) qui leur accorde l'avantage exclusif d'avoir « le dernier mot contre quiconque ». Aucun élu du peuple, fût-il ministre ou premier ministre, aucune personne parmi les innombrables « victimes » des médias ou aucune entreprise acculée à la faillite à la suite d'un reportage défavorable ne pourra jamais obtenir pareil privilège. Voilà une victoire syndicale dont la société entière ne cesse de payer le prix. Laplante n'hésite pas à y voir un abus de pouvoir : « Accaparer ainsi le " droit au dernier mot " ne serait pas considéré partout comme la plus grande réussite démocratique qui soit... Défendre sa prose est une chose ; exiger de toujours parler le dernier en est une autre. »

Lorsque madame Bissonnette écrit qu'« à travers le pouvoir le mépris s'adresse d'évidence à ceux qui l'incarnent », elle ne semble pas avoir prévu l'effet boomerang. Comme le quatrième pouvoir est effectivement en voie de devenir prédominant, l'énoncé de madame Bissonnette s'applique forcément aux médias. Cette perspective est d'autant plus inquiétante qu'elle recoupe déjà la baisse de la cote d'estime des médias dans le public. En France, le phénomène a pris beaucoup d'ampleur comme nous le verrons dans un autre chapitre. Y aura-t-il prise de conscience de cet épiphénomène dans notre milieu ?

Ce qui ne manque pas de préoccuper les lecteurs, les auditeurs et les téléspectateurs, c'est le discrédit dans lequel les médias tiennent les hommes et les femmes politiques. Cela ne peut se traduire que par la notion de discrédit politique. Or, ce n'est pas à l'honneur des médias de miner ainsi et de façon systématique la démocratie. À ce propos, Jean-Paul Desbiens nous rappelle que « la démocratie n'a pas l'air d'une cause, et qu'il est difficile de s'enthousiasmer à son sujet. Il en va d'elle comme de la santé : on ne l'apprécie que si on la perd. » C'est inouï que de devoir rappeler une chose aussi fondamentale à l'aube de l'an 2000.

Alain Minc a décrit le drame, car c'en est un, de façon assez saisissante : « Cette légitimité de l'information, de loin supérieure à toutes les autres, surplombe la vie démocratique : sans statut particulier, sans positionnement institutionnel, elle règne, écrase et soumet à sa propre hiérarchie tous les autres systèmes de valeur. *Extraordinaire coup d'État institutionnel* [nous soulignons] dont on ne connaît ni l'instigateur, ni les origines, ni les modalités mais seulement les bénéficiaires — tous ceux qui touchent peu ou prou aux médias — et les victimes — les pouvoirs traditionnels désormais sur la défensive et menacés. »

L'enjeu est grave : les médias empiètent sur l'État et ce dernier, sous prétexte de surprotéger l'homme, l'écrase littéralement. Daniel-Rops en traitait déjà dans *Chants pour les abîmes* : « Telle est la vérité, la douloureuse vérité, le développement de l'emprise de l'État et des forces collectives sur la personne humaine est rigoureusement en corrélation avec la baisse générale de la morale individuelle et sociale. »

Les médias sont devenus une force dominante au même titre que les multinationales. Ils grugent petit à petit les pouvoirs de l'État. Ce dernier, loin de se porter véritablement à la défense de l'homme en privilégiant la cause de la liberté de l'homme, multiplie ses tentatives d'asservissement de deux façons : d'une part, par le poids de la fiscalité et de l'endettement et, d'autre part, par une législation débridée. L'économiste et écrivain Pierre Lemieux, qui s'intéresse particulièrement à ces questions, a estimé récemment à onze mille le nombre de pages de projets de lois qui affectent chaque année les contribuables canadiens et québécois ! Cela signifie environ un millier de lois ! Proprement aberrant !

Connivence de pouvoirs

Avant la révolution française, les hommes d'État étaient pour la plupart des monarques. Ils jouissaient d'une autorité suprême et d'un prestige énorme. Ils se tenaient à distance de leurs sujets au propre comme au figuré. Après la révolution, l'homme d'État est descendu de son piédestal et il est devenu plus accessible ; avec l'avènement de la communication instantanée, il s'est muté en vedette médiatique, disponible sur demande. Les anciens eussent été consternés de constater pareille déchéance et surtout le peu de pouvoir et de prestige dont leurs descendants doivent maintenant s'accommoder !

Oliver Cromwell fut peut-être le premier homme qui osa s'opposer au roi, mais il était malin et il ne dédaigna pas les armes. Sans elles, il n'aurait pu aller très loin. Cromwell était favorable au *parlement*. Il en devint tôt membre. Il semblait avoir tout d'un démocrate en puissance. Sa philosophie politique non dénuée d'idéalisme était plutôt clairvoyante : « Je suis comme tout le monde en faveur d'un gouvernement de consentement; mais où trouverons-nous ce consentement ? » Après avoir connu nombre d'épisodes héroïques, il devint « protecteur », ce qui lui permit de jouir de pouvoirs considérables qu'on qualifierait aujourd'hui de dictatoriaux. Son penchant démocratique s'est dissout avec sa popularité. Son nom est resté à l'histoire et pour cause.

C'est à Abraham Lincoln que nous devons ce qui est peut-être la définition la plus célèbre de la démocratie : « La démocratie est le gouvernement du peuple, par le peuple, pour le peuple. » Mais pour ce qui est de la croyance en l'idéal démocratique, la palme en revient à l'un de ses successeurs, Woodrow Wilson : « Je crois en la démocratie parce qu'elle libère l'énergie de tous les êtres humains. » On pourrait épiloguer longuement sur cet aphorisme douteux.

Enfin, en affirmant que la démocratie était la moins pire des formes de gouvernement, Winston Churchill aura pour ainsi dire décapé un concept affublé jusqu'alors d'une aura de pouvoir magique. Un siècle plus tôt, Benjamin Disraeli voyait déjà les choses sous leur angle pratique en déclarant sans détours que « le premier devoir d'un politicien, c'est de se faire réélire ! » La surenchère démagogique et l'indulgence qu'on lui accorde ont peut-être comme origine cette parole incroyablement audacieuse de la part d'un homme d'État de l'époque victorienne.

Cette entrée en matière était nécessaire pour traiter de la position des chefs d'État face au pouvoir médiatique. Leur vulnérabilité tient au fait qu'ils doivent d'abord se faire élire avant de penser au dicton de Disraeli, sans quoi ils sont voués au non-être ou à l'impuissance. Quel paradoxe que le système démocratique prête ainsi le flanc à la critique par ce qui fait sa grandeur. Il s'ensuit un rapport de force entre l'homme politique devenu politicien pour des raisons pragmatiques et le journaliste essentiellement prédateur pour des raisons du même ordre. Il ne reste plus au politicien qu'à se résigner à être la victime consentante, ce qui est irrecevable, bien sûr. Alors, c'est la confrontation perpétuelle.

Tout mandat politique implique un terme : encore une fois, c'est le politicien, non le journaliste, qui se trouve désavantagé. Voilà un premier élément de déséquilibre qui ne peut être sain pour le fonctionnement de la démocratie. Théoriquement, le politicien peut compter sur le *fairplay* du journaliste. C'est exactement ce qu'a fait un Brian Mulroney, comme nous le verrons, et avec les résultats que l'on sait. Notons que Mulroney, à l'instar de toute personne dans sa position, incarnait à la fois l'homme d'État et le politicien. Impossible de dissocier l'un de l'autre, d'où un deuxième avantage en faveur du journaliste. Le déséquilibre s'en trouve augmenté d'autant. Nous pourrions continuer dans cette voie.

Que le *fairplay* n'existe pas, c'est déjà un handicap de taille pour l'homme d'État. Or, le journaliste n'est qu'un rouage d'une immense machine à broyer l'actualité (on pourrait tout aussi bien parler de machination) qu'il rapporte dans la presse écrite et électronique de façon, disons, spectaculaire ou dramatique pour impressionner le public et, ce faisant, augmenter le tirage ou accroître les cotes d'écoute pour atteindre le but ultime du plus grand profit. Bel idéal ! Les médias peuvent-ils vraiment affirmer qu'ils servent la démocratie ? Si. Mais par accident seulement. Peu, tout compte fait.

Rappelons le sous-titre de l'ouvrage (*Gotcha !*) du journaliste et écrivain canadien George Bain : « Comment les médias déforment les nouvelles ». Son homologue américain, Arthur Herzog, a publié plusieurs années auparavant un livre intitulé, on ne peut plus crûment, *The B.S. Factor*, dont le sous-titre est également dévastateur : *The Theory and Technique of Faking it in America*. Fin des illusions. Évaporé le mirage du droit du public à l'information lorsqu'il signifie la désinformation ou le tripotage systématique des faits et des événements qu'on ose offrir au public. Ce n'est que du toc !

Précisons que la publication du pamphlet de Herzog remonte à 1973. Donc l'ouvrage est de peu postérieur aux présidents John F. Kennedy et Lyndon B. Johnson. Or, ces deux hommes si différents l'un de l'autre avaient une habitude en commun : ils sacrifiaient des heures précieuses chaque jour, *oui*, à lire les journaux ! Pourtant ils avaient à leur disposition une multitude de sources d'informations et une armée de gens dévoués et efficaces qui n'aspiraient qu'à leur fournir la matière. Kennedy et Johnson voulaient de toute évidence prendre eux-mêmes le pouls de la nation ! Ils n'auront tiré de leurs heures irrémédiablement perdues qu'un amoncellement d'informations incomplètes, biaisées, fausses et tendancieuses présentées dans une mise en pages tape-à-l'œil conçue pour servir d'hameçon à la population. Ces deux hommes étaient victimes d'un complexe non identifié et qu'on pourrait appeler *le complexe de Disraeli*.

Le président Jimmy Carter (1977-1981) faisait-il de même ? C'est plus que probable. Ce qui est certain, ce dont nous sommes assurés, c'est qu'il avait une foi aveugle dans la presse américaine. C'est ainsi qu'un jour, raconte Helmut Schmidt (qui fut chancelier de l'Allemagne de l'Ouest de 1974 à 1982), le président Carter prit une décision capitale concernant les armes tactiques atomiques des forces de l'OTAN en Europe. Fort de ses convictions personnelles, sans consultations au préalable avec aucun des pays directement concernés et sans se préoccuper des répercussions graves que son geste était susceptible de provoquer au Kremlin, alors sous Léonide Brejnev, Jimmy Carter a agi seul. L'Europe et le monde entier sont alors passés très près de retomber en quelques heures dans une nouvelle crise de la guerre froide. L'Allemagne de l'Ouest, avec sa *realpolitik*, avait réussi après des années de travail acharné à réduire les tensions entre l'URSS et l'Ouest et, voilà que soudain tout était fichu ! Le chancelier se rendit en toute hâte à Washington dans une tentative désespérée de réparer les pots cassés. En vain, hélas ! C'est là qu'il apprit de la bouche du président que ce dernier avait agi sur la foi des renseignements tirés de la presse américaine !

À l'autre extrême, il y a près d'un siècle de cela, Arthur Balfour, premier ministre de l'Angleterre, ne portant aucun intérêt aux journaux, n'en lisait aucun. Des membres de sa famille se faisaient un devoir ou un malin plaisir, à table, de l'informer de l'actualité. Honni soit qui mal y pense : il fut un grand homme d'État !

Harry S. Truman passera à l'histoire comme le président américain qui aura donné le feu vert à la U.S. Air Force pour lancer une bombe atomique d'abord sur Hiroshima et trois jours plus tard sur Nagasaki. Il ne semble pas qu'il ait souffert d'insomnie pour autant. Contrairement à plusieurs de ses successeurs à la Maison-

Blanche, son attitude vis-à-vis de la presse américaine en était une de détachement. Il ne manquait à la règle que lorsqu'un critique se permettait un commentaire désobligeant envers sa fille Margaret qui poursuivait une carrière laborieuse dans l'art vocal. En réalité, modéré de nature, Harry Truman s'était fait une carapace très tôt dans sa carrière politique. On lui doit une repartie qui en témoigne éloquemment : « Si vous ne pouvez supporter la chaleur, tenez-vous loin des fourneaux. » En d'autres termes, la politique n'est pas à la portée de tous.

Le vice-président Truman était devenu automatiquement président à la mort de ROOSEVELT en 1944. Quatre ans plus tard, il se présentait pour le renouvellement de son mandat. Il eut pour adversaire le leader républicain Thomas E. Dewey que la presse avait imprudemment déclaré gagnant avant la tenue du scrutin. Le lendemain, une photo désormais historique fit le tour du monde. On y voyait, à la gare de Saint-Louis, au Missouri, debout sur la plate-forme arrière du wagon présidentiel réquisitionné pour la campagne électorale, un Harry Truman, l'air triomphant, arborant un large sourire en montrant au public le titre du *Chicago Tribune* en ce 8 novembre 1948 : « *Dewey Defeats Truman !* » Quel pied-de-nez mémorable à la presse américaine !

Mais revenons au pays. Lors d'une entrevue avec Patrick Watson, à la CBC, le 18 décembre 1973, le premier ministre Trudeau s'était livré à une réflexion des plus pertinentes sur la politique, le rapport entre la raison et l'émotivité et les médias. Pour les personnes qui seraient réfractaires au personnage et à sa philosophie, rappelons que son homologue québécois, René Lévesque, a déjà déclaré publiquement que Pierre Trudeau était le premier ministre le plus intelligent que le Canada ait jamais eu. Quoi qu'il en soit, voici l'extrait en cause : « Je dirais presque que ma foi en la politique, ma foi dans le processus démocratique s'est quelque peu modifiée. Jusqu'ici, je pensais qu'il suffisait de faire une proposition raisonnable à quelqu'un qui l'étudierait alors raisonnablement, sans passion, mais il n'en est manifestement rien. Les neuf dixièmes de la politique — les débats en Chambre, les discours sur les estrades, les commentaires pour les médias, les neuf dixièmes de tout ça font appel aux sentiments plutôt qu'à la raison. Je le regrette un peu, mais tel est le monde dans lequel nous vivons et, par conséquent, il m'a fallu changer. »

Ce qui ne manque pas d'intérêt, c'est ce que l'historien français Fustel de Coulanges a écrit un siècle plus tôt dans son célèbre ouvrage *La cité antique* : « Quelle que soit la forme de gouvernement, monarchie, aristocratie, démocratie, il y a des jours où c'est la raison qui gouverne, et d'autres où c'est la passion. »

Il ressort de tout cela, à la décharge des hommes d'État, des politiciens, des journalistes et des observateurs de la scène parlementaire que ce n'est pas une mince tâche de rendre compte de façon responsable de l'évolution des choses alors que la logique est mise en veilleuse et que tant de courants contradictoires embrouillent la matière. C'est peut-être ce que Laurendeau avait en tête lorsqu'il parlait de « l'impossibilité de la tâche ». Dans *Faust*, Goethe nous donne peut-être la clé de l'énigme : « Tout ce qui se passe / N'est qu'analogie / L'inaccessible / C'est la réalité. »

III

LES ARTIFICES
DU MÉTIER

Tics et trucs

L'analogie entre la mise en scène du théâtre et la mise en pages des médias est frappante. Au théâtre, évidemment, il y a de l'unité : une seule thématique avec exposition, développement et conclusion. Mais à part cette différence, tout est affaire de mise en place des principaux rôles ou des principales manchettes et, par la suite, c'est une question d'accentuation, de rythme et d'éclairage. Les artifices, dans un cas comme dans l'autre, y tiennent une très grande importance.

Alors que la pièce de théâtre est une création artistique qui vise à saisir le spectateur de façon à susciter chez lui un état de catharsis, on n'entretient aucune visée de cette nature dans les médias. Ces derniers ne se bornent qu'à l'exploitation à *outrance* de la nouvelle et de l'événement de dernière heure. Ils cherchent avidement à attirer l'attention du plus grand nombre possible de personnes car c'est là leur unique objectif. Ce n'est rien d'autre qu'une affaire de marketing. La concurrence intermédia étant ce qu'elle est, on résiste mal, peu, ou pas du tout au recours à des moyens de persuasion les plus efficaces et le plus souvent les plus percutants.

Les médias sont omniprésents. La matière est abondante et l'instantanéité en renouvelle constamment l'intérêt. Toutefois, ces avantages se retournent quelque peu contre eux auprès du public, le point de saturation ayant été atteint depuis longtemps. Alors, c'est par les artifices qu'on cherche à séduire. Plusieurs sont cousus de fil blanc, comme disaient nos grands-mères. L'imagination aidant, certains parmi eux parviennent très bien à varier le menu. La presse écrite dispose ici, assez paradoxalement, d'un avantage marqué. À signaler à cet égard la tenue des magazines *L'actualité* et *Châtelaine*.

Ce qu'il y a de singulier, c'est que notre seuil de tolérance puisse fluctuer non seulement d'une journée à l'autre, mais d'un instant à l'autre. Certains artifices de mise en scène médiatique, à la télévision évidemment, ne nous offusquent pas le moindrement à certaines heures alors qu'à d'autres ils provoquent chez nous des réactions de répugnance qui peuvent aller jusqu'à la colère. Nous ne cessons de subir ce flux et reflux de nos émotions selon le sujet, la façon dont il est traité et la personnalité plus ou moins sympathique des animateurs et des invités en présence. Il y a, ne nous en déplaise, quelque chose de pavlovéen à notre façon de réagir.

Les tics des médias, à proprement parler, soumettent notre patience à rude épreuve. Personne ne pourrait prétendre être à l'abri de cette forme perfide d'agression, de cette servitude nouvelle que nous acceptons passivement parce que nous croyons béatement au progrès. Que de fois n'éprouvons-nous pas la tentation de jeter le téléviseur à la poubelle ! Désabusés, nous nous contentons de l'éteindre. Et de jouir d'une cure de silence. Alors, vive les livres !

Chacun pourrait dresser sa propre liste de tics. C'est un exercice qui libère car on se sent moins dupe de gens qui se jouent de nous comme des prestidigitateurs.

Les titres punch

Voilà vraisemblablement l'élément clé de la presse écrite. L'impact du titre sur le tirage est tel que dans certaines entreprises le choix en est réservé au grand patron. La légende veut que Pierre Péladeau et Jacques Francœur auraient exercé ce privilège, même lorsqu'ils se trouvaient en voyage à l'autre bout du monde.

Les titres étrangers au contenu

La coutume dans la presse écrite fait que ce ne sont pas les signataires des articles — sauf dans le cas des éditorialistes et celui des chroniqueurs chevronnés — qui choisissent les titres. Il en résulte soit de la confusion, de la fausse interprétation ou du contresens. En voici un exemple type. *La Presse* avait titré, en première page, « Le Bloc séduit le Conseil du patronat avec ses solutions ». Le président Ghislain Dufour n'a pas tardé à répliquer de verte façon dans une mise au point publiée sous la rubrique fourre-tout, « la boîte aux lettres ». (Nous traiterons ailleurs du droit de réplique.) Conscient du processus de travail, Dufour a déploré précisément toute la latitude accordée au titreur.

N'est-ce pas un peu insolite que le moindre des journalistes affectés, selon le jargon, aux chiens écrasés, ait droit à sa signature alors que le titreur, le timbalier de l'orchestre journalistique, n'a droit qu'à l'anonymat ? « Monsieur !, a écrit Courteline, au début du siècle, je vous rappelle que vous n'avez qu'un droit, celui de vous taire et qu'il est fortement question de vous le retirer. »

Le refrain idéologique

Que voilà un moyen habile de semer à tout vent une étiquette, une citation ou un mythe, de reprendre comme ça, quand l'occasion s'y prête, un bobard, un commentaire ou un mot célèbre et de le rappeler sans trop insister. Si on sait être patient et persévérant, l'effet est assuré. Et comme dans *Le vase brisé,* on pourra constater éventuellement que « la légère meurtrissure en fit lentement le tour »...

Quand arrive enfin le printemps dans ce pays nordique, nous éprouvons une sensation de délivrance qu'atténue, hélas, l'échéance du fisc. Et le moins sportif d'entre nous se distrait à la pensée que bientôt, peut-être, il y aura de bons matchs de hockey à la télé. Alors on glane ici et là, histoire de se remettre un peu dans l'ambiance. C'est ainsi qu'au lieu de me contenter du coup d'œil furtif sur les prévisions du temps de *La Presse,* j'ai ouvert le cahier sports. En ce jour du dimanche 16 avril 1995, en page 5, un titre sur toute la largeur de la page m'a saisi : « La main de Dieu au secours des Rangers ! » Quelle ne fut pas ma stupéfaction en entreprenant la lecture de cette chronique dite « new-yorkaise » d'y lire : « Vous vous souvenez de la main de Dieu ? Pas celle qui a guidé Claude Ryan dans sa vie publique... » Il n'y avait aucune malveillance dans ce préambule, cependant.

Combien de fois est-on revenu sur ce fameux mot attribué à Claude Ryan ? Ce dernier, que je sache, ne l'a jamais prononcé lui-même ! Au reste, il y a eu reprise de la courte séquence de cette entrevue télévisée et aucune équivoque n'est possible là-dessus. C'est néanmoins entré dans la légende.

L'affaire est anodine, tout compte fait. Ce qui ne l'est pas, c'est son côté pervers. *Ad hominen*. Monsieur Ryan est un croyant. Il ne s'en est jamais caché. Pour un Richard Hétu qui a su en faire usage avec tact, combien l'ont fait de façon mesquine pour s'en prendre à l'homme et chercher à le ridiculiser. Du journalisme, ça ?

Le célèbre mot du général de Gaulle, « Vive le Québec ! Vive le Québec libre ! », a fait du chemin depuis qu'il a été prononcé. Dans ce cas-ci, aucune gratuité quant à l'intention des personnes qui se font un devoir de le remettre en ondes dès que se présente une occasion, fût-elle fortuite, de le faire. Dose d'adrénaline pour les uns ; évocation maudite pour les autres. Personne n'y est indifférent. La prudence serait de rigueur.

Au 1400 boulevard René-Lévesque, le message sacré par excellence, celui qui fait encore vibrer toute « la boîte » et la moitié du Québec, c'est — on l'aura deviné — le mémorable, l'historique « Si je vous comprends bien, ce que vous êtes en train de me dire, c'est : à la prochaine fois ! » Quelle étude captivante ce serait de connaître, moins la fréquence de la mise en ondes de ce message que la liste des circonstances mises à profit. Nul doute que pareille enquête révélerait que, dans la majorité des cas, il n'y avait pas de raison particulière autre qu'un besoin impérieux de le faire.

L'éditorialiste Marcel Adam a déjà analysé « la nuit des longs couteaux* ». Selon lui, il s'agit bien d'un

---

* Le 30 juin 1934, Adolf Hitler, désirant rassurer les dirigeants de l'armée allemande quant à ses intentions sur la suprématie de cette dernière sur les S. A. (les chemises brunes), fit trancher la gorge au petit matin de leur commandant Ernst Rohm et de tous les membres de son état-major.

mythe. Aucune correspondance avec ce qui s'est vraiment passé à Ottawa lors de la dernière conférence fédérale-provinciale sur la constitution, en 1981, qui avait donné lieu à une alliance de huit provinces dont le Québec.

Un des biographes de René Lévesque attribue le commentaire à Claude Charron, lors du voyage de retour à Québec de l'équipe ministérielle. Charron aurait dit : « On peut dire que c'est une nuit où les couteaux étaient longs et volaient bas. » La phrase semble avoir été retravaillée pour la postérité.

C'est en 1988 que Claude Morin a publié son ouvrage intitulé *Lendemains piégés. Du référendum à la nuit des longs couteaux.* Cette expression simplifiée est devenue courante en ondes, dans les imprimés et dans le langage populaire. Ce n'est pas un crime de lèse-majesté que d'en faire usage, bien sûr. Mais ce qui est certain, c'est que tous ceux qui l'utilisent à toutes les sauces contribuent consciemment ou non à accréditer la légende. Mythe ou réalité ? La question reste. Il y a quelque chose de malsain là-dedans. Cette expression restera volatile encore longtemps comme de la nitroglycérine.

Maintenant les hautes instances du Québec pensent à reprendre l'enseignement de l'Histoire — avec un grand H — après plus de vingt-cinq ans. Antérieurement, l'Histoire enseignée chez nous et l'Histoire enseignée dans le RDC (le reste du Canada) étaient souvent diamétralement opposées. Désormais, nous pourrons *oublier* l'histoire du RDC (décidément, Louis Riel n'a pas de chance dans notre milieu !) pour nous bagarrer entre nous *ad infinitum* sur l'Histoire, la nôtre ! Force nous est d'admettre ce corollaire de la division du Québec en deux blocs distincts, *thanks to* René Lévesque. Mais il ne faut pas se faire de souci sur cette question. Combien de nos historiens n'ont-ils pas été formés à l'école de l'abbé Groulx ? Notre nouveau manuel sera aussi othodoxe que l'était notre petit catéchisme.

Voici un autre cas, assez singulier, d'un sujet chronique. D'où provient la devise officielle du Québec, « Je me souviens », inscrite sur le portique principal de l'hôtel du gouvernement (que tous nos journalistes et animateurs appellent incorrectement « le parlement ») à Québec ?

L'animateur de « CBF Bonjour », Joël LeBigot, il y a de cela quelques années, a lancé un concours auprès de ses auditeurs pour en retracer l'auteur. L'affaire a tourné en queue de poisson. On a vu, dansle magazine *L'actualité*, madame Lise Payette se vanter d'avoir convaincu ses collègues du cabinet Lévesque d'avoir fait inscrire ladite devise sur les plaques d'immatriculation des véhicules du Québec. Ce qui fut fait, bien entendu. Gilles Normand, du journal *La Presse*, reprenait le sujet le 5 mai 1994, sous le titre « Je me souviens... mais de quoi ? » Rien de bien neuf, si ce n'est de certaines suppositions qui se seraient révélées fausses. *The Montreal Star*, *The Globe and Mail* et *Le Devoir* en auraient tous traité sans pouvoir y apporter le moindre éclaircissement.

Dans les circonstances, libre à chacun de se donner une interprétation personnelle, strictement subjective, d'une phrase inachevée. Par exemple, « Je me souviens... » de mon héritage français et catholique ; français ou catholique ; de la monarchie française ; du régime français, de tout ce que l'on voudra jusqu'à la révolution française, exclusivement ! En s'en tenant (comme nous tous, du reste) à la devise telle qu'elle est, c'est-à-dire

ambiguë, madame la ministre y a vu, néanmoins, l'occasion de la propager sans frais aux quatre coins de
l'Amérique. Comment pareil message a-t-il été perçu
hors du Québec ? Attachement profond aux sources de
notre histoire, à nos origines françaises ? Ou sentiment
de frustration constante envers l'histoire après la conquête ? Voilà une question extrêmement difficile à
trancher.

Assez étrangement, ce n'est pas à l'un des nôtres,
mais à l'écrivain et philosophe Northrop Frye que nous
devons un commentaire des plus pertinents que voici :
« "Je me souviens " est une devise ambiguë : tout
dépend de ce dont chacun se souvient. Si cela signifie de
maintenir une tradition culturelle dans un contexte
plus large, c'est alors un principe fondamental de
dignité humaine ; si ça veut dire ruminer des sentiments
refoulés du passé, c'est un non-sens, c'est du don-
quichottisme. » Chacun se devrait de prendre position
devant l'alternative proposée.

Quant à l'origine obscure, voire mystérieuse de « Je
me souviens », André Duval, l'auteur de *La capitale*
(Boréal, 1979), a avancé une hypothèse des plus vrai-
semblables. « Je me souviens » correspondrait à « *Ne
obliviscaris* » (« Gardez-vous bien d'oublier »), soit la
devise du marquis de Lorne, qui était gouverneur général
du Canada à l'époque où l'architecte Eugène-Étienne
Taché élaborait ses plans ! Fin des beaux rêves ? Fin de la
recherche d'un poète inconnu !

Ce qui est amusant ou triste, selon le point de vue,
c'est que photocopie de l'extrait en cause a été envoyée
par le soussigné à « CBF Bonjour » à l'époque du concours sur l'origine de « Je me souviens » et plus

récemment à *La Presse*, à la suite de l'article susmentionné. Rien ! De toute évidence, ou bien l'hypothèse déplaisait, dans le premier cas, ou elle risquait d'indisposer trop de lecteurs, dans le second. Toute vérité n'est pas bonne à dire ou à lire.

Excès

Surexposition

Comment tolérer que les médias à un moment donné s'accaparent une cause insoutenable au départ et la présentent au public comme la trouvaille du siècle ? D'un courant d'air les journaux feront une bourrasque que les médias électroniques, qui affectionnent la surenchère, transformeront en cyclone.

Ainsi, la thèse médicale du docteur Guylaine Lanctôt a donné lieu à une couverture médiatique démesurée et insensée, à telle enseigne que son livre est devenu l'un des meilleurs vendeurs de l'année au Québec ! Pourtant, l'éditorialiste Agnès Gruda en a dit que c'était « un mauvais livre, mal écrit, répétitif et ennuyeux ». Le seul fait que l'auteur ait ignoré l'œuvre et l'héritage de Louis Pasteur, décédé il y a un siècle, témoigne de la nullité de l'ouvrage sur le plan scientifique. Où était donc passé le sens critique de la gent médiatique ? « On peut s'interroger sur le rôle que les médias ont joué dans le marketing de ce délirant pamphlet », écrivait l'éditorialiste grâce à qui, et ce n'était pas trop tôt, un point final a été mis à cette affaire ridicule.

Sous-exposition

La sécurité publique se situe d'emblée parmi les priorités de toute société. Chez nous, le transport aérien en région, particulièrement en hiver, est devenu absolument essentiel. Voilà deux bonnes raisons qui auraient dû pousser nos journalistes à s'intéresser au premier chef à la décision de la Federal Aviation Administration (FAA) des États-Unis de clouer au sol les avions de types ATR 42 et ATR 72 à la suite de l'écrasement en Indiana le 31 octobre 1994 d'un ATR 72. Transport Canada, de son côté, a jugé à propos de ne permettre les vols de ces avions qu'en l'absence de conditions de givrage ou propices à la formation de nuages, ce qui revenait au même. La suspension des vols devient vite une calamité en région, or celle-ci a duré plusieurs semaines.

L'accumulation de glace sur les ailes avait alors été avancée chez les Américains comme la cause probable de la catastrophe. Ce qui est bizarre, c'est qu'elle n'ait jamais été confirmée à ce jour.

À la suite du crash du 31 octobre, l'ATR 72 a subi à la base militaire d'Edwards, en Californie, des tests « les plus vigoureux [*sic*] jamais faits sur un avion civil », a précisé une dépêche de l'Associated Press. Or, les résultats ont été jugés « excellents ». Tout a fonctionné parfaitement, a commenté le magazine *Aviation Week & Space Technology*, dans sa livraison du 2 janvier 1995. Que fallait-il de plus pour convaincre la FAA ?

L'embargo sur les ATR n'a été levé que le 10 janvier au Canada ; les Américains l'ont fait vingt-quatre heures plus tard mais « sous réserve » pour éviter de toute évidence de perdre la face. Point n'est besoin d'être un Sherlock Holmes pour trouver le fond du problème. Il nous faut remonter en 1987, l'année où le consortium européen Airbus, dont ATR est une filiale, supplanta les puissants Boeing-Lockheed-McDonnell-Douglas sur leur propre terrain en décrochant un important contrat de vente d'appareils aux États-Unis. La réaction de Washington fut si forte, rapporte John Saul, que la France reçut alors, écrit-il, « une note diplomatique que l'on adresse généralement à un ennemi, non à un allié ». C'est en répondant sur le même ton, c'est-à-dire avec la menace d'un embargo européen sur tous les produits américains que la France réussit à désamorcer la crise. Jacques Chirac était alors premier ministre et c'est lui qui s'occupa du dossier. Il est maintenant président de la république, ce qui est de mauvais augure pour Washington. La défaite fut amère pour les États-Unis qui ont l'épiderme sensible, comme nous le savons que trop bien au Canada, et la riposte brutale lorsque leurs intérêts sont en jeu. Par ailleurs, depuis le début de l'année, le dollar américain n'a cessé de perdre de sa valeur, ce qui replace en excellente position en Europe l'industrie aéronautique américaine. Quelle ironie !

De toute façon, l'hypothèse répandue d'une revanche vaut bien celle de la glace sur les ailes des avions aussi perfectionnés volant en Norvège, en Finlande, en Suisse, à Saint-Pierre-et-Miquelon et au Canada. Le rapport officiel sur les causes devrait tarder — des années peut-être — à être rendu public compte tenu des enjeux financiers en cause. Comme la plupart des accidents aériens sont attribuables à l'erreur humaine, rien n'interdit de penser que ce pourrait être encore une fois l'explication la plus plausible. Nous verrons.

Le journal *La Presse* a droit à une mention honorable pour avoir publié deux textes de ses correspondants sur le sujet ; par contre, les autres médias, sauf erreur, se sont contentés de reproduire des communiqués des agences de presse émanant pour la plupart des États-Unis.

Voyeurisme

Le tristement célèbre carnage survenu à l'Assemblée nationale du Québec, le 8 mai 1984, est revenu en primeur onze ans plus tard dans les médias à l'occasion d'une remise en liberté qu'on disait prochaine du caporal Denis Lortie. Le public a eu à subir pendant trois jours consécutifs un blitz médiatique d'une insupportable morbidité. Tout ça pour une affaire de promotion. Le tout a commencé, le mercredi 4 janvier 1995, par le téléjournal du midi à la RDI — qui en était à ses débuts — au cours duquel on a annoncé une entrevue choc et exclusive de l'auteur du geste démentiel qui devait être présentée trois jours plus tard sur la nouvelle chaîne. Une première, laissait-on entendre, avec fierté !

Il serait instructif de connaître le nombre de fois que la télévision a imposé au public la terrifiante séquence de la fusillade meurtrière, invariablement à l'heure des repas. Toute la population, tous les gamins du Québec — était-ce l'objectif à atteindre ? — ont été exposés autant de fois à cette scène d'horreur à laquelle, au regret des voyeurs médiatiques, il ne manquait que les innocentes victimes.

Lors de l'interview, Lortie a su dire avec simplicité qu'il déplorait la reprise (occasionnelle) à la télé de cette scène tragique qui ne pouvait être que « particulièrement pénible pour les familles des victimes du drame ». En réponse à une question directe de l'interviewer, Richard L'Heureux, sur son état d'esprit, il a répondu : « Le remords va rester. » La télé peut donc servir d'exutoire. Elle ne peut effacer les drames de la mémoire individuelle et collective. Elle aime bien les rappeler. Avec sadisme. Triste artifice que celui-là.

Espérons que les artisans de notre « réseau national » tireront les conclusions qui s'imposent quant à leur manque de jugeote. Cette folle embardée publicitaire a eu l'effet contraire qu'on en attendait : elle a porté un rude coup à la réputation de la SRC. L'autocritique étant une denrée rare, rien ne permet de croire qu'il y a eu prise de conscience de ce regrettable incident.

Le harcèlement de l'invité

Que de fois le téléspectateur ne se sent-il pas mal à l'aise lorsque l'animateur malmène son invité ? C'est ainsi qu'un dénommé Robert Berthiaume s'est donné la peine d'envoyer une lettre à *La Presse*, lettre qui a été publiée le 19 mai 1993 sous le titre équivoque de « Harcèlement de l'animatrice ? ». Comme dans l'exemple qui précède, nous allons nous en tenir à l'anonymat : « Malgré le harcèlement continuel de [l'animatrice], qui l'interrompait toutes les 10 secondes, le ministre Claude Ryan, grâce à sa patience et à la rigueur de son verbe, a réussi à nous éclairer un peu plus sur les points essentiels du projet de loi 86. Il me semble que lorsqu'on invite un ministre à expliquer un projet, la plus élémentaire courtoisie commanderait qu'on le laisse au moins finir ses phrases. Des fois, en écoutant ce genre d'émissions à Radio-Canada, je m'ennuie beaucoup de la manière dont André Laurendeau traitait ses invités. Compte tenu des énormités que certains vocifèrent depuis quelques jours sur le sujet, il aurait été bien indiqué que le ministre ait eu tout son temps — sans avoir à se défendre contre son interlocutrice — pour montrer le bien-fondé des amendements qu'il entend apporter à la loi. »

Pouvait-on mieux décrire l'odieux d'un procédé qui devrait être banni et de façon définitive chez nos journalistes professionnels ?

Exploitation des drames

Rappelons les faits. Quatre adolescents de seize ans se sont tués par excès de vitesse sur une autoroute au nord de Montréal. Le reporter de la télévison de Radio-Canada a demandé au frère de l'une des victimes quel effet cela faisait de perdre ainsi son frère. Désemparé, le gamin a répondu : « Ça me fait chier. » Or, perversion de voyeur, on a passé cette séquence en ondes en nous montrant l'enfant accablé et maladroit dans sa façon de s'exprimer. Voilà un cas d'indécence incroyable. Pourquoi n'a-t-on pas repris le topo — si on y tenait tant — en suggérant au garçon un commentaire plus approprié aux circonstances ? Ou, mieux, pourquoi ne s'est-on pas abstenu de présenter une telle scène ?

Incongruités

L'émission « Le Point » se doit de traiter de sujets chauds qui couvrent toute la gamme de l'actualité. En règle générale, elle s'acquitte plutôt bien que mal de ce mandat difficile et terriblement exigeant.

Le topo « Rwanda : le Canada complice ? » (25 janvier 1995), de par son titre et son contenu, était au départ une gageure périlleuse. La prestation a effectivement suscité la colère et l'indignation du recteur fondateur de l'université nationale du Rwanda, le père Georges-Henri Lévesque, qui s'en est expliqué dans une lettre publiée dans *La Presse* quelques jours plus tard : « Un reportage où les images et les mots servaient plus une cause que la vérité. [...] On a pu ainsi intituler cette émission « Rwanda : le Canada complice ? » d'une façon tendancieuse et injuste face à l'histoire et aux personnes qui l'ont vécue. Ainsi, l'utilisation d'images de diverses époques et de films différents mis bout à bout, on le sait, a créé l'impression du " coupable par association ", procédé de bas étage indigne de reportages honnêtes. Des images de squelettes qui suivent celle de l'université du Rwanda que j'ai fondée sont un exemple de cette manière injuste de bâtir une thèse tendancieuse. »

Si les journaux disposent de la note de la rédaction pour avoir le dernier mot dans les cas de controverse, la radio et la télé peuvent revenir comme il leur plaît sur tout sujet donné. Ils ne s'en privent pas. « Le Point » l'a fait dans ce cas. Il eût mieux fait de s'en abstenir.

À la décharge des médias, il y aura toujours des victimes comme à la guerre. Le traitement de certains sujets, le matériel requis rapidement, sans compter d'autres aléas inhérents au métier, font que les contraintes sont nombreuses. Le public doit en tenir compte. Ce dernier est plutôt bon enfant et c'est peut-être la raison pour laquelle on lui fait avaler n'importe quoi.

Que d'excès la télévision, par les moyens énormes dont elle dispose et dont elle abuse au mépris souverain de l'honnêteté et de la bienséance, ne commet-elle pas ? Simulation de la scène, choix des images, choix des lieux, choix des extraits et des mots significatifs ou d'une banalité débile selon les dispositions qu'on éprouve envers la personne en cause, commentaire favorable ou défavorable du journaliste sur un personnage dont on nous montre le visage sans lui laisser dire un seul mot. Bref, un arsenal de moyens plus ou moins subtils pour effectuer l'emballage recherché, et le tour est joué.

Le téléjournal représente ici et de loin le véhicule tout-terrain dont s'enorgueillissent les chaînes de télévision et dont « s'inspire », une façon de s'exprimer, la presse écrite. Un Pierre Péladeau, qui a fait fortune avec les journaux en s'accrochant au téléjournal comme un wagon à la locomotive, a eu l'honnêteté d'affirmer publiquement qu'il voyait là incontestablement la clé de sa réussite. Il ne faudrait pas en conclure que le téléjournal représente pour autant le summum de l'art de la communication. C'est du showbiz. Point.

L'écrivain et cinéaste Jacques Godbout, chez qui le sens critique est inversement proportionnel à la condescendance, a fait un documentaire il y a plusieurs années sur cette supercherie monumentale qu'est le journal télévisé. Il a démontré comment la sélection, la mise en pages et le traitement des nouvelles ne pouvaient être que le fruit de l'arbitraire le plus débridé. Le CRTC, qui a toujours été si empressé d'imposer des servitudes bureaucratiques (c'est sa raison d'être) à la CBC-SRC, devrait forcer notre « réseau national » à nous présenter ce film une fois l'an. En lieu et place de *Bye Bye*, peut-être ? Ce serait l'équivalent pour les téléphages de la mise en garde en caractère gras sur les paquets de cigarettes exigée par le ministère de la Santé.

Deux fois en autant de semaines, on a trouvé le moyen d'inscrire en primeur, soit comme première manchette, au téléjournal du midi (SRC) un topo propagando-social sur le couple Parizeau-Lapointe. D'abord, lors d'une réception à la résidence du premier ministre, avenue des Braves, où ils ont accueilli une cinquantaine ou une centaine de personnes (impossible de connaître le nombre exact) gagnantes d'un concours organisé par une station de radio de la vieille capitale. « Comment avez-vous aimé [*sic*] ça, madame ? » de demander le journaliste de la SRC. « Beaucoup ! » « Ils sont si gentils », a dit l'autre dame. Tout un scoop ce midi-là !

L'autre primeur du jour ? Cette fois, elle faisait dans le propagando-sportif. Le couple Parizeau assistait à un match Nordiques-Canadiens au Colisée de Québec. Madame porte fièrement le chandail fleurdelysé : la Victoire de Samothrace, version québécoise. Un autre coup astucieux à la Parizeau, peut-être ? Fin prêt, le cameraman n'a pas manqué ça. Les Nordiques ont eu la décence de gagner. Quelle chance ! Le gros lot, quoi ! Gros plan, pensez-vous bien, nous remontrant la Première Dame du Québec débordante d'enthousiasme et son aimable mari, toutes dents dehors, ravi de cet heureux présage-du-référendum-à-venir. Et le journaliste de poser quelques questions puériles au premier ministre. Il en a vu d'autres notre Monsieur. « Oui, les Nordiques sont d'excellents ambassadeurs du Québec ! » Il n'allait pas manquer celle-là alors que son *ami* Jean Chrétien et le ministre du Patrimoine lui offraient sur un plateau d'argent pareille occasion de se faire du capital politique à leurs dépens. La belle affaire !

Ces pseudo-bulletins de nouvelles ont eu préséance sur les vrais événements du jour dont, entre autres, l'évolution du conflit Canada-Espagne sur les fonds marins de Terre-Neuve. L'affectation venait-elle de Montréal ou de Québec ? Qui a passé ce sapin ? A-t-on pensé, ne fût-ce qu'un instant, à la réaction de désapprobation des téléspectateurs contribuables qui ont par leurs impôts payé le coût, à deux reprises, des équipes de reportage et de celui du cocktail « offert » au profit d'un poste concurrent ! Et quel cas a-t-on fait de l'intégrité de la Société en la compromettant de cette façon ? À la rigueur, le Carnaval de Québec aurait pu servir de prétexte : par malheur, il était terminé depuis des semaines. Un accident de parcours, deux fois de suite et au profit du même personnage ? C'est un peu gros, non ? Aucune justification possible pour une telle désinvolture dans l'utilisation des fonds publics. C'est scandaleux.

Voilà qui rappelle un autre incident plus cocasse encore. Qui ne se souvient du comité Castonguay-Dobbie devenu plus tard le comité Dobbie-Beaudoin « pour des raisons de santé », *dixit* le coprésident démissionnaire, Claude Castonguay ? C'était en 1992. Le dépôt du *Rapport du comité mixte spécial sur le renouvellement du Canada* était prévu pour le vendredi 28 février. Du reste, c'est la date qui apparaît sur le document. Mais le rapport ne fut pas déposé ce jour-là, même pas le lendemain, mais seulement le dimanche midi, soit le 1er mars. Or, lors des bulletins de nouvelles de 18 heures et de 22 heures à la SRC, du samedi 29 février et du dimanche 1er mars, les téléspectateurs ont pu voir et entendre

MM. Gérald Larose, le président de la CSN, et Jean Lapierre, le député du Bloc québécois (devenu animateur radiophonique depuis) commenter ledit rapport qu'ils n'avaient pu lire faute de disposer d'un exemplaire !

L'édition de *La Presse* de ce dimanche fatidique aura valu aux lecteurs, sous la plume du journaliste Gilles Paquin, un récit, digne de la *commedia dell'arte*, intitulé « Tribulations autour d'un texte apocryphe ». « À titre de député, de déclarer le fulminant député Lapierre, j'ai un droit absolu de recevoir les rapports qui ont été déposés. Or, j'attends depuis 16 heures et il n'y a aucune copie disponible. J'ai logé des dizaines d'appels chez le greffier et le rapport n'existe pas. » On comprend facilement son impatience et son souci de ne pas perdre la face.

Cet incident grotesque en évoque un autre. Un critique musical de Montréal, retenu chez lui par la grippe, avait envoyé son papier du concert de l'OSM par taxi à son journal. Son texte fut évidemment publié le lendemain matin. Le malheur, c'est que le concert symphonique en cause avait été annulé la veille en raison d'une tempête de neige...

Il existe un lien assez particulier entre le cas du blitz publicitaire sur l'interview du caporal Lortie et l'incident dont MM. Larose et Lapierre furent en quelque sorte les victimes : dans un cas comme dans l'autre, il s'est passé quelque chose d'imprévisible. Ainsi, le temps d'antenne alloué aux pauses commerciales ne trouve-t-il pas toujours preneur et alors il est systématiquement récupéré pour des annonces maison. Il peut en résulter une saturation de messages parfois de même nature. Dans

le cas des topos sur le rapport Dobbie-Beaudoin, préen-
registrés en prévision du week-end (comme toutes les
émissions), personne n'avait pu prévoir le délai de près
de trois jours quant à son dépôt et, alors, en empêcher
la diffusion. Il en a résulté, forcément, un accident de
parcours qui a porté atteinte à la crédibilité des deux
commentateurs politiques et de la SRC. Cela, en rétrospective, fut d'autant plus insolite que ce rapport tant
attendu s'est révélé n'être qu'une coquille vide. *Much ado
about nothing.*

IV

TOILE DE FOND DU QUATRIÈME POUVOIR

Traditions nationales

La tradition britannique

Le *Times* de Londres a été fondé en 1785* ; *Le Monde* en 1944. Au pays de la Magna Carta (1215), la tradition n'est pas un vain mot. « La presse anglaise, écrit Ernest Barker, a un passé long et honorable : une presse libre est en effet de première nécessité dans le régime démocratique de " gouvernement par discussion " que notre peuple s'efforce depuis plus de deux cents ans de mettre en pratique. » Ce commentaire remonte à 1945.

« Le journalisme anglais, comme il est de règle dans une démocratie, poursuit l'auteur, a toujours mis la politique au premier plan et a fait montre en général d'un sens élevé de responsabilité politique. » Barker reconnaît

---

* Le premier hebdomadaire anglais, *The Weekly Neues* (*sic*), remonte à 1622; le premier quotidien, *The Daily Courant* (*sic*), à 1702. En France, le premier journal fut fondé en 1789 et fut d'abord appelé le *Journal des Débats* (de l'Assemblée nationale). Au Canada, *La Gazette de Montréal - The Montreal Gazette*, journal bilingue, date de 1785.

toutefois l'écart entre le journalisme contemporain — au lendemain de la deuxième guerre mondiale — et celui d'avant : « Le véritable reproche à faire au nouveau type de journalisme est que, sous prétexte de donner au peuple ce qu'il désire, il lui donne ce qu'il croit devoir lui plaire, choix généralement inférieur à ce que le peuple désire réellement. C'est plutôt abaisser le goût que pervertir l'opinion. »

Il serait impensable, à propos de la presse britannique, d'ignorer la BBC qui est toujours restée fidèle à l'esprit proprement britannique du « gouvernement par discussion ». Loin de vivre en serre chaude, cette respectable institution ne compte pas moins de cinquante comités consultatifs constitués de gens de l'extérieur. Son rayonnement sur le plan international demeure un haut fait. Voici ce qu'en dit Jean-François Revel : « Pour la plupart des hommes de la planète, l'irremplaçable et l'inappréciable BBC World News, le centre londonien d'émissions radiophoniques, diffusant vingt-quatre heures sur vingt-quatre, non seulement en anglais, mais dans de très nombreuses autres langues, reste souvent la seule source d'information digne de foi sur ce qui se passe dans leur propre pays. »

La BBC est un service public. Sa recherche constante de l'objectivité l'oppose occasionnellement au gouvernement. Ainsi, en 1982, lors de la guerre des îles Falkland (anciennement les îles Malouines), la BBC a diffusé une émission consacrée au point de vue de l'Argentine, alors l'ennemi déclaré de l'Angleterre. Le geste a provoqué les foudres de la Dame de fer, Margaret Thatcher, alors première ministre. Elle a *illico* menacé la BBC de représailles sévères et, dans le même souffle, elle a invité la population à protester énergiquement auprès de la société de la couronne. Au cours des jours qui ont suivi, tous les circuits téléphoniques de l'entreprise ont été saturés d'appels de protestation. La BBC a tenu le coup et, ce faisant, elle a maintenu le cap contre vents et marées, selon sa tradition, et son statut d'autonomie vis-à-vis du gouvernement.

Les historiens qui se pencheront sur l'époque Thatcher devront trancher la question épineuse de savoir si elle aura été un retour aux normes du siècle précédent ou un virage à droite. Ce qui est certain, c'est qu'elle aura marqué au sceau de la méfiance les relations du parlement avec la presse. Et réciproquement. La méfiance engendre la méfiance et il importe peu de savoir quelle partie a posé le premier geste. Il en va de même partout ailleurs. Ainsi, George Bain a écrit que « le journalisme repose aujourd'hui sur le postulat cynique que la corruption est inhérente à l'institution ». À vrai dire, rien de tellement nouveau à ce chapitre depuis la célèbre conclusion de Marcellus, dans *Hamlet* : « Il y a quelque chose de pourri au royaume du Danemark », si ce n'est qu'on s'invective de part et d'autre. Pourrait-on trouver meilleure preuve que deux pouvoirs s'affrontent ?

Au moment où ces lignes sont écrites, on étudie au parlement de Londres, non pas un projet de censure, mais un projet de réglementation de la presse, à la suite des abus multiples commis ces dernières années surtout envers la famille royale. La presse britannique est donc actuellement en état de choc. Tout le flegme anglais sera nécessaire pour surmonter cette dure épreuve.

Dans ce contexte, voyons si les journalistes britanniques de la presse écrite et électronique ont fait quelque chose de concret au cours des dernières décennies pour vaincre leur immobilisme et s'imposer l'équivalent d'un code de déontologie.

Pour ce faire, il nous faut remonter en 1945, à la fin de la deuxième guerre mondiale, alors que le gouvernement Attlee avait succédé au gouvernement Churchill. Le nouveau gouvernement avait fait savoir discrètement, dit-on, à la gent journalistique de mettre sur pied son propre conseil de presse à défaut de quoi le parlement s'en chargerait. Effectivement, il institua une commission royale qui déposa son rapport en 1949. Trois ans plus tard, éditeurs, rédacteurs et journalistes n'étaient toujours pas arrivés à s'entendre. Nous pourrions méchamment conclure que les journalistes sont plus prompts à imposer leur morale aux autres qu'à eux-mêmes. La réalité est d'un autre ordre. Peu enclins à s'autodiscipliner, ils ont surtout cherché à gagner du temps. Le major Clement Attlee s'était illustré dans les chars durant la guerre. On redoutait la réaction de cet homme rompu au combat. On mit fin aux querelles intestines et le British Press Council vit le jour.

Assez curieusement, il existait une certaine opposition en haut lieu quant à la représentation du public au conseil de presse. Sans doute croyait-on que les journalistes se devaient d'agir comme toute corporation professionnelle, c'est-à-dire, entre pairs. Le syndicat des journalistes y était, semble-t-il, plutôt favorable. Il faudra dix autres années pour y arriver et, encore, de timide façon, soit en admettant cinq personnes seulement contre vingt-cinq représentants de la presse. Vingt-cinq ans plus tard, on établit enfin l'équilibre parfait en partageant à parts égales la représentation du public et celle de la presse. « C'est donc en 1978, dira Kenneth Morgan, président du British Press Council (1983), que nous avons démontré que le Conseil n'était pas dominé par la presse et n'avait pas l'intention de l'être. » Ce qu'il faut retenir, c'est que, conformément à la tradition britannique, le *fairplay* l'a finalement emporté.

Deux autres observations de l'ancien président du Conseil de presse valent d'être rapportées : « Bien sûr, j'ose espérer que le fait que nous ayons reçu un plus grand nombre de plaintes que partout ailleurs indique que le public britannique s'intéresse plus à la qualité de la presse qu'il ne la conteste. » Observation empreinte d'une belle subtilité. Perspicace, cet homme a anticipé la crise que traversent présentement les médias dans son pays : « Désormais, des sujets comme le droit de réplique et la mise au ban du journalisme à sensation imposés par la loi et la substitution de conseils de presse indé-pendants par une commission d'État sur les médias ne sont plus réservés aux seules discussions d'hommes politiques. [...] C'est la récession économique qui amène les journaux à se livrer " à une guerre de tirage " féroce. Or, les problèmes de tirage sont rarement compatibles avec les hautes normes d'éthique professionnelles. » Il espère, néanmoins, que le Conseil de presse pourra jouer un rôle déterminant pour éviter « une telle éventualité ». Toutefois, à la crise économique des années quatre-vingt a succédé celle des années quatre-vingt-dix. Voilà un dossier à suivre.

Le premier amendement

Les dix premiers amendements à la constitution améri-caine ont été ratifiés le 25 septembre 1789, soit six mois seulement après la ratification des sept premiers articles de la constitution. Comme la liberté de la presse aux États-Unis relève du premier amendement, en voici le texte intégral : « Le Congrès ne fera aucune loi qui touche l'établissement d'une religion ou en interdise le libre exercice, ni qui restreigne la liberté de parole ou de presse, ou le droit qu'a le peuple de s'assembler paisiblement et d'adresser des pétitions au gouvernement pour le redressement de ses griefs. »

Il n'est pas étonnant qu'on ait toujours à l'esprit, sinon à la bouche, ce premier amendement. Aux États-Unis, tout citoyen ou citoyen corporatif peut en tout temps et en tous lieux l'invoquer. Dieu sait que personne ne s'en prive. C'est devenu une denrée aussi répandue et aussi populaire que le fast-food. Quant au recours qu'en font les journalistes, on peut extrapoler : ils ont littéralement carte blanche. On a vu dans les cas de Chaplin et de Waldheim où cela pouvait mener. Cet élément clé de la culture américaine est profondément enfoui dans la psyché et, de ce fait, incontournable.

Thomas Jefferson (1743-1826), le troisième président des États-Unis (1801-1809), a dit : « La liberté de religion, la liberté de presse, et la liberté des personnes sous la protection de l'*habeas corpus* (respect de la liberté individuelle), voilà les principes qui ont guidé nos pas en cette période de révolution et de réforme. » C'était l'époque où l'idéalisme était à son apogée.

Le deuxième centenaire de la constitution américaine a été célébré avec beaucoup d'éclat. Les médias ont démontré de magistrale façon leur efficacité et leur dynamisme. Quiconque a vu le reportage télévisé d'une durée de seize heures consécutives, au réseau CBS avec

l'animateur Walter Cronkite, n'oubliera jamais l'événement. De son côté, la presse écrite a publié d'innombrables articles sur tous les événements, péripéties et
facettes de l'histoire américaine. Le concept de *free
enterprise*, si cher aux Américains, a fait l'objet d'une
attention toute particulière. C'est sous cette rubrique que
Massimo Salvadori, professeur émérite de Smith College,
a publié un article dans lequel on retrouve en une seule
phrase l'essence de la philosophie américaine : « Les
citoyens sont d'abord ce qu'ils sont en vertu de leur code
moral. »

Et pour en terminer avec l'éloge de la constitution
et du *way of life* américains, et pour nous rapprocher du
sujet qui nous occupe, quelle leçon de réalisme ne
trouvons-nous pas dans ces mots du juge en chef de la
cour suprême des États-Unis, Warren Burger : « Pour le
meilleur et pour le pire, ce sont les éditeurs qui sont
chargés de publier et cela implique le choix de la
matière. Que les éditeurs — de la presse écrite ou électronique — abusent de leur pouvoir, et ils ne s'en
privent pas, ne saurait en rien justifier le rejet des
dispositions prises par le congrès. »

Jefferson rédigea la déclaration de l'indépendance en
1776. Son texte fut cependant retouché par Benjamin
Franklin qui connaissait personnellement Robespierre et
Danton. Pas étonnant qu'on y proclame que « les gouvernements existent pour le bonheur du peuple et qu'ils
tirent leur force et leur pouvoir de l'assentiment de ce
dernier ». L'abus de l'autorité y est proscrit. Un conseil
de presse aux USA ? Ce serait carrément anticonsti-
tutionnel ! Et, sans aucun doute, considéré comme une
utopie.

Le laxisme français

Il existe en France une loi ayant trait à la presse. Elle date de... 1881. Non seulement il n'y a pas de volonté politique pour la récrire, mais « au contraire », de préciser Alain Minc, le pouvoir politique « ne cesse publiquement d'encenser ce texte sacré, par crainte d'être taxé de volonté liberticide ». Or, en France, tout le monde en convient, la situation des médias se dégrade de plus en plus. Minc s'en explique : « Quand pour une fois les médias tournent le thermomètre des sondages vers eux, quelle volée de bois vert reçoivent-ils ! Ainsi, depuis 1988, la confiance dans la radio a-t-elle baissé de 8 points, de 13 points pour les journaux et de 16 points vis-à-vis de la télévision, de loin la plus affectée. » Dans ces conditions, l'auteur semble avoir raison d'affirmer que « le prestige de la chose lue dans le journal ou vue à la télévision ne cesse de s'effriter ».

La question qu'on est en droit de se poser, c'est si la situation était meilleure antérieurement. Faute de disposer de données à cet égard, nous allons nous en remettre au jugement d'un homme qui fut jusqu'à son récent décès l'une des grandes figures du journalisme en France et dans le monde entier.

Hubert Beuve-Méry, le fondateur du journal *Le Monde*, fut d'abord attaché à l'institut français de Prague d'où il agissait comme correspondant du journal français *Le Temps*. *Tous* ses articles anti-Hitler furent rejetés. Il existait pourtant un pacte franco-tchèque, mais en France on feignait de l'ignorer et les journaux se faisaient complaisants, voire rassurants envers l'Allemagne, même avant l'accord de Munich. Sa déception fut si profonde qu'il démissionna. C'est de cette époque que datent, d'une part, son jugement sévère sur la presse française dont il dénonçait « la duplicité, la corruption et la servilité » et, d'autre part, sa conviction — certains ont parlé d'une authentique obsession — qu'un bon journal se devait d'être indépendant de tout lien politique ou financier tout en étant très strict sur le plan moral.

Le premier numéro du journal *Le Monde* fut publié le 18 décembre 1944. Beuve-Méry l'a dirigé pendant 25 ans et il a continué d'y travailler jusqu'à sa mort, à l'âge de 87 ans. C'était un spartiate. Sa retenue déconcertait parfois ses collaborateurs au nombre desquels se trouvait le critique littéraire Bernard Poirot-Delpech, membre de l'Académie française. C'est ce dernier qui a révélé que Beuve-Méry avait été discrètement pressenti pour devenir membre de la prestigieuse institution et qu'il avait décliné. Beuve-Méry, toujours selon Poirot-Delpech, était profondément pessimiste, mais il n'était pas nihiliste. Cet homme, décidément, n'était pas facile à encadrer, comme on dit en France. On le croyait protestant, il était catholique et, tout compte fait, il était plutôt libre penseur. « Comme Cyrano qu'il aimait beaucoup, d'ajouter l'écrivain, il croyait " en la beauté du geste ". » Au soir de sa vie, désabusé peut-être, il fit une confidence du bout des lèvres, à peine audible, précise Poirot-Delpech : « Vous savez, le journalisme ne sert à rien ou presque à rien », ce à quoi, son confident du moment ajouta : « Tout est dans le presque », ce qui lui valut un rarissime sourire complice.

Alain Minc, cité plus haut, qualifié de « lucide réformateur » par Jean-Denis Bredin, également de l'Académie française, appartient à une autre génération. Son jugement sur la presse française en général n'est pas moins impitoyable que celui du jeune Hubert Beuve-Méry, isolé à Prague avant la guerre. Voici quelques traits saillants tirés de l'ouvrage susmentionné : « Combien de jugements hâtifs à partir d'informations incertaines ? [...] Comment [les médias] refusent-ils le principe : à pouvoir accru, responsabilité accrue ? [...] l'extrême difficulté du citoyen à se faire entendre. [...] Et, avantage supplémentaire pour les médias, les auteurs de délits de presse échappent, en fait, à la notion de récidive. [...] ainsi la jurisprudence aboutit-elle à donner à la presse un statut d'impunité qui constitue un encouragement pour les brebis galeuses du troupeau. »

De la télévision, enfin, Minc fait le constat suivant : « Dans une vision de gauche, le modèle télévisuel actuel est insupportable : par sa médiocrité culturelle ; par le mercantilisme qui y règne ; par la toute-puissance de l'argent ; par les valeurs qu'il diffuse ; par son absence totale d'aspiration éducative. Mais les socialistes sont évidemment mal à l'aise pour avouer leurs frustrations : ce système s'est — à la privatisation de TF1 près — mis en place sous leur règne. »

Bref, à la lumière de tant de révélations qui passent du gris foncé au noir, le modèle médiatique français, si l'on peut s'exprimer ainsi, n'est pas de nature à inspirer qui que ce soit. Certainement pas à l'extérieur de la France. C'est dommage. Mais c'est ainsi.

Sous le signe de l'éclectisme

Le va-et-vient continu de l'information produit une sorte d'osmose favorable à l'importation de concepts originaux. Ainsi a-t-on adopté chez nous le conseil de presse anglais et l'ombudsman suédois. Un curieux amalgame à vrai dire. Un ombudsman aurait pu théoriquement suffire à protéger le public contre toutes les forces d'oppression. Puisque les jeux sont faits, deux questions se posent maintenant : dans quelle mesure saura-t-on faire preuve d'honnêteté intellectuelle dans l'adaptation que l'on fera de ces concepts ; et jusqu'à quel point voudra-t-on s'imposer un minimum d'autodiscipline ? La valse hésitation n'est pas encore terminée. Nous disposons au moins d'institutions appropriées à nos besoins. Hélas pour nous, l'hégémonie américaine gagne le monde entier.

Rien de plus fascinant toutefois que de comparer les attitudes diamétralement opposées des Américains et des Français. Le *Washington Post*, à titre d'exemple, s'est donné un ombudsman en 1970 et nombre de journaux, aux USA, en ont fait autant. Pourtant, nous avons vu jusqu'à quel point les journalistes américains se cramponnaient au premier amendement. Le dynamisme et la volonté de progresser, autant de traits caractéristiques chez nos voisins du Sud, leur ont permis de contourner un obstacle qui semblait insurmontable. Nul doute que leur geste est des plus pragmatiques. Les journaux américains doivent se prémunir contre les excès qui découlent du comportement de leurs compatriotes qui ne cessent de parler haut et fort en invoquant, comme un fétiche, le premier amendement.

En France, où on adopte souvent avec frénésie tout ce qui vient de l'extérieur, surtout si c'est américain (malgré un antiaméricanisme atavique), on se bute à une fin de non-recevoir. C'est Alain Minc, encore une fois, qui nous fournit l'explication de cette étrange attitude : « L'autodiscipline s'incarne enfin au niveau de la profession elle-même. [...] Nul ne souhaite voir le monde journalistique régenté par le Conseil national de l'ordre. [...] C'est la raison pour laquelle les institutions professionnelles, ombudsman suédois ou British Press Council, ne paraissent pas adaptées à notre tempérament : elles se transformeraient trop vite en organes corporatifs. » Voilà un tour de haute voltige qui dissimule assez mal une attitude libertaire.

Au Canada et au Québec, où l'habitude de nager entre deux eaux est devenue un réflexe *conditionné*, nous observons forcément un certain clivage entre la presse anglophone et la presse francophone. Les journalistes anglophones, faute de barrière linguistique, sont naturellement beaucoup plus influencés par la licence qui découle du premier amendement que ne le sont leurs confrères francophones qui, pour la plupart, l'ignorent ou s'en fichent éperdument. Rappelons-nous, à titre d'exemple, le comportement du journal *The Gazette* lors de la maladie du premier ministre Bourassa, hospitalisé au Maryland pour subir des traitements à l'interleukine-2, qui y avait été traqué par des journalistes de ce journal. Joan Fraser, dans une confrontation avec Denise Bombardier à la SRC, avait alors réagi exactement comme une Américaine férue du premier amendement. Les journalistes anglophones, témoins quotidiens qu'ils ont des avantages dont jouissent leurs confrères américains, se replient maintenant sur la charte des droits et libertés adoptée le 29 mars 1982. Intitulé « Libertés fondamentales », l'article 2 se lit comme suit : « Chacun a les libertés fondamentales suivantes : a) liberté de conscience et de religion ; b) liberté de pensée, de croyance, d'opinion et d'expression, y compris la liberté de presse et d'autres moyens de communication ; c) liberté de réunion pacifique ; d) liberté d'association. »

Le journaliste George Bain nous fait remarquer que si « la liberté de presse » est inaliénable, elle n'a pas été définie et que le soin en a été laissé aux tribunaux. Morale : les journalistes anglophones vont continuer d'envier leurs confrères américains. En réalité, il ne fallait pas s'attendre que le premier ministre Pierre Elliott Trudeau fasse preuve de zèle pour la presse. Nous y reviendrons.

Conseil de presse

Au Canada, on trouve un conseil de presse dans la majorité des provinces, soit, par ordre chronologique d'apparition, en Alberta et en Ontario en 1972, au Québec en 1973, en Colombie-Britannique et dans les

Maritimes (regroupées sous Atlantic Provinces) en 1983.

Au Québec, le Conseil de presse est formé de dix-huit personnes représentant en nombre égal les journalistes, le patronat et le public. S'y ajoute le président. Comme il n'y a pas de texte officiel, de code déontologique et de jurisprudence, son fonctionnement reste assez laborieux. On est en droit de se demander pourquoi le patronat y compte pour un tiers, privant de ce fait le public de s'y trouver pour la moitié, comme en Angleterre, ainsi que nous l'avons vu antérieurement. La raison en est prosaïque : sans l'aide financière du patronat, il n'y aurait pas eu de Conseil de presse ou il n'aurait pu subsister longtemps. Cette explication n'est que partielle. Ce qui est méconnu, c'est que, sans le soutien financier de la Société Radio-Canada, il n'aurait probablement jamais vu le jour ou il aurait connu une existence éphémère. (Il y a dix ans, soixante mille dollars provenaient de l'ensemble des quotidiens du Québec, la contribution de la SRC était de quarante mille.) Le Conseil doit en partie son existence à Marc Thibault, longtemps directeur de l'information à la SRC (président dudit conseil de 1987 à 1991), qui s'était fait l'avocat de cette cause auprès du vice-président Raymond David. Les Services français de la société jouissaient alors d'une grande autonomie. N'est-ce pas étonnant de constater que, sans l'apport de la SRC, une institution canadienne dont le siège social est à Ottawa, le Conseil de presse du Québec serait encore dans les limbes ?

Les journalistes du Québec disposent depuis 1987 d'une charte du journalisme. Dans le préambule, on nous apprend que le sacro-saint principe du droit du public à l'information est « le droit individuel et collectif de savoir ce qui se passe et qui est d'intérêt public ». Bien.

L'article a pour titre « La lutte pour la liberté de l'information est légitime ». Bel énoncé de principe. Incontestablement. Passons au texte : « Toute entrave à l'accès aux sources d'information, à la recherche des faits, à la diffusion des événements et des opinions porte atteinte à la liberté de l'information. La restriction, les pressions ou menaces, qu'elles viennent de particuliers ou d'organismes privés ou publics, doivent être combattues et dénoncées. »

Voilà qui manque singulièrement de sérénité. Cet article est terriblement révélateur des préoccupations journalistiques. Cela s'explique par la nécessité pour les journalistes d'avoir accès sans entrave à la matière, donc aux sources d'information, à *toutes* les sources, et sans la moindre restriction. C'est quand même amusant de constater que la démarche déontologique de l'APJQ débute d'abord par l'imposition d'obligations morales aux autres. Quel admirable altruisme ! En somme, on adresse un ultimatum à la population entière dans le but de mieux la servir. Comment ne pas percevoir dans cette démarche une bonne dose d'arrogance et de provocation ? Par surcroît, c'est maladroit et malavisé.

De deux choses l'une, ou bien on fait preuve de naïveté, dans lequel cas c'est un manque flagrant de maturité, ou on témoigne d'une étrange outrecuidance et alors c'est une preuve d'un mépris absolu envers le public, les institutions et toutes les composantes de la société. Dans un cas comme dans l'autre, c'est irréconciliable avec la notion de liberté dont on nous rebat constamment les oreilles. C'est de liberté contraignante qu'ont rêvé les rédacteurs de cet article (sans oublier ceux qui l'ont entériné). C'est donc l'antithèse même de la liberté. Bien sûr, le ton agressif et la portée mesquine du premier article ont été atténués plus loin dans le texte de la charte. Hélas, le mal était fait et tout ce qui suit fait figure de rhétorique pour se donner bonne conscience. On a voulu éviter toute équivoque. De ce côté, c'est réussi.

Cette charte des journalistes, en dépit de son article premier (une maladresse qu'il faudra corriger), aura néanmoins des effets favorables à long terme.

Le Conseil de presse a beaucoup contribué à ce jour à la protection du public et à l'amélioration des normes journalistiques, compte tenu du fait qu'il ne peut que porter un jugement moral sur les plaintes qui lui sont soumises. Chaque année, environ une quarantaine de plaintes y sont déposées ; en moyenne, sur cent, quatre-vingt-dix proviennent du public, sept des journalistes et trois des entreprises.

Dans un avenir prochain, le Conseil aura mis au point sa jurisprudence — un travail de bénédictin —, qui lui permettra de s'acquitter de sa tâche de façon encore plus efficace. Rue Saint-Louis, à Québec, un personnel restreint accomplit un travail remarquable et cela depuis des années. Enfin, les rapports annuels du Conseil témoignent d'une étonnante continuité et ce sont autant de documents indispensables pour fins de recherche. On a eu l'excellente idée d'établir au départ une liste des critères qui permettent d'apprécier de façon rigoureuse la nature des plaintes. Voici d'abord ceux qui intéressent directement le public : abus de la discrétion rédaction-nelle, atteinte à la vie privée, discrimination, information incomplète, manque de rigueur professionnelle, partialité et inexactitude de l'information, utilisation de méthodes incorrectes.

Quant aux plaintes provenant des journalistes eux-mêmes, elles sont plutôt rares comme nous l'avons vu plus haut. Moins de dix pour cent. Nous sommes en droit de nous demander pourquoi elles ont fait l'objet de tant de soin comme si, réellement, le problème se posait sur une grande échelle. Ne serait-ce pas davantage l'indice d'une certaine paranoïa de la part des journalistes qui se sentent brimés par anticipation ! Quoi qu'il en soit, voici la liste en question : accessibilité aux sources d'information, atteinte à la liberté d'expression, censure, entrave à l'exercice du métier de journaliste, subordination de l'information à la publicité, plaintes qui ne relèvent pas de la juridiction du Conseil.

En près de vingt-cinq ans d'existence, le Conseil n'a pas pu profiter, assez singulièrement, de la collaboration spontanée des médias pour faire valoir son travail dans le grand public. Aussi Denise Hébert, à titre de présidente du comité des cas, a-t-elle cru nécessaire de dire que « le Comité s'inquiète du peu d'attention et d'efforts portés par les médias à la publication de nos décisions. D'où vient ce manque d'intérêt, cette indifférence ou cette négligence ? ! [*sic*] La presse est-elle uniquement à la recherche de ce qui est sensationnel et percutant ? ! [*sic*] ».

La Presse s'est distinguée à cet égard en publiant le 4 novembre 1993, sous le titre « L'illustion du " direct " ou les risques d'une manipulation de l'information », un excellent texte tiré précisément d'un rapport annuel du Conseil de presse sur l'état et les besoins de l'information au Québec.

L'ombudsman

On a cherché à trouver un équivalent français au mot suédois ombudsman pour rendre ce concept étranger plus familier au public. On a suggéré intercesseur, médiateur et protecteur du citoyen. Cette dernière expression a été retenue par le gouvernement du Québec. Quant au reste, le mot ombudsman est aujourd'hui universellement accepté et tout le monde s'accorde pour lui donner le sens d'un arbitre. Un arbitre doit être intègre, compétent, impartial et jouir d'une grande autonomie. Toutes ces conditions doivent être satisfaites pour que le titulaire puisse exercer sa tâche et le public y trouver son compte.

En règle générale, le poste de l'ombudsman est confié à une personne qui possède toutes les qualités énumérées plus haut, dispose de la latitude requise pour exercer son mandat et *n'est pas* issue du milieu où elle sera appelée à œuvrer. Si on ne tenait pas compte de cette dernière particularité, on placerait *ipso facto* le titulaire dans une situation intenable. Voilà l'écueil qui explique vraisemblablement pourquoi si peu d'organisations — pour employer un terme neutre — hésitent à s'engager dans cette voie périlleuse.

Il serait souhaitable de trouver un ombudsman dans toutes les institutions et les entreprises d'importance. Mais il y a un obstacle majeur : comment peut-on garantir l'impartialité du titulaire ? En effet, comment se résoudre à confier une telle responsabilité à une personne, fût-elle à l'abri de tout soupçon comme la femme de César, si elle est étrangère à l'entreprise ou à l'institution au sein de laquelle elle sera appelée à jouer un rôle aussi déterminant ? N'y a-t-il pas quelque chose de démesuré, d'utopique, voire d'héroïque dans une telle proposition ?

Face à ce dilemme, on préférera en dernière analyse forcer le jeu et s'en remettre à un cadre dont la probité est reconnue tant à l'extérieur qu'à l'intérieur. Or, c'est malheureusement contradictoire.

Le gouvernement du Québec s'est engagé sur cette voie depuis un quart de siècle, davantage par opportunisme que par conviction, conscient que la lourdeur de l'appareil bureaucratique limiterait dans une large mesure et l'ardeur des citoyens et le zèle de l'arbitre, autant de personnes en quête de justice. Cette prévision était assez réaliste. L'expression protecteur du citoyen, propre à calmer l'appréhension naturelle de l'honnête citoyen, était l'astuce choisie pour noyer le poisson. L'État a tout à perdre dans cette aventure étant donné qu'il est de par sa nature l'oppresseur de loin le plus redoutable du citoyen. Aussi, tout se passe dans la plus grande discrétion. On ne voit jamais d'avis publics publiés de façon périodique dans les journaux incitant les citoyens, lorsqu'ils se sentent lésés, à faire valoir leurs droits en s'adressant au protecteur du citoyen. Comment s'adresse-t-on au protecteur du citoyen ? Quelles sont ses coordonnées ? Mystère. À la décharge de l'État, il y a dans tout cela une prudence élémentaire. Ne faut-il pas éviter l'avalanche ? Il y a surtout beaucoup d'inertie et davantage de fourberie. Que l'ombudsman ait été créé au pays de la social-démocratie, où l'État est roi et le citoyen surprotégé au point où sa liberté est rigidement codifiée, a de quoi laisser songeur. Grâce au journaliste Gilles Normand, de *La Presse*, Me Daniel Jacoby, l'ombudsman du Québec, nous a livré à la mi-décembre 1994 un aperçu qui confirme nos pires appréhensions : « Ça suffit, clame le Protecteur du citoyen devant la hausse préoccupante du nombre de plaintes contre l'administration publique et l'évidence de nombreux cas d'abus de pouvoir et de négligence grossière. Il propose une Charte des citoyens. Ayant eu à répondre à 311 782 demandes d'aide en 25 ans d'existence, dont 27 769 en 1993-94 seulement — une hausse de 8 p. cent par rapport à l'année précédente —, le Protecteur du citoyen conclut qu'"' il faut envisager un nouveau pacte social entre les citoyens et l'administration publique, pour responsabiliser les uns et les autres, améliorer la qualité des décisions administratives et maintenir un niveau de service acceptable ''. »

Ce pourrait être une heureuse coïncidence qu'au moment où l'ombudsman du Québec propose de son côté une charte des citoyens, un gouvernement fraîchement élu se cherche désespérément, de l'autre, un projet de société, on en soit arrivé à une entente. Hélas, la politique est étrangère à une supposition aussi humaine et logique. On a plutôt résolu de poursuivre avec un acharnement démentiel une voie sans issue, un dialogue de sourds entre la réalité et la fiction, entre la logique et la foi, entre la raison et la bêtise, entre l'État et l'homme.

La conscience journalistique

Il serait inconvenant de passer sous silence la prise de conscience de l'élite des journalistes de notre milieu. Nous avons déjà cité André Laurendeau. Mais plusieurs autres se sont préoccupés des normes de travail et d'éthique professionnelle.

L'émission hebdomadaire de la SRC, *Point médias*, animée par Madeleine Poulin, semble moins être à cet égard une initiative spontanée que l'aboutissement d'un long processus de réflexion sur le quatrième pouvoir. Cette étape est riche de promesses quoique la formule de l'émission soit difficile à trouver. Le public devrait être la préoccupation première et unique de cette émission, laquelle trop souvent aboutit à démontrer le fonctionnement de l'appareil médiatique et, ce faisant, débouche sur l'autodéfense.

Il faudrait une anthologie pour rendre justice aux éditorialistes qui se sont intéressés à la problématique du journalisme. Michel Roy a consacré près de vingt-cinq ans au journal *Le Devoir* où il a gravi tous les échelons. Au moment de le quitter, il a rédigé un dernier éditorial dans lequel, entre autres considérations, il a fait un diagnostic rigoureux du journalisme : « Dans cette perspective, on doit admettre que le plus grand obstacle à la conquête et à la diffusion de l'information dans cette société réside moins dans les gouvernements, les fonctions publiques et les organismes officiels que dans les journalistes eux-mêmes, plus friands de surprises que de vérité, enclins à la facilité, peu portés à l'étude attentive des questions complexes, invoquant commodément la brièveté des délais pour négliger de solliciter l'avis de toutes les parties à un différend... L'information c'est le pouvoir, constate avec raison l'analyste français. Mais entre les deux se dressent souvent l'incompétence, la paresse ou la mauvaise foi, quand ce n'est pas la foi tout court dans une cause que l'information pourrait desservir. »

Ancien éditorialiste en chef à *La Presse*, Marcel Adam y exerce toujours son métier. On lui doit un nombre considérable de textes consacrés au journalisme. En 1984, il livrait deux articles consécutifs : « L'inquiétante baisse de la crédibilité des médias » et « Les médias et le public ne sont pas en sympathie », puis deux ans plus tard : « Un gouvernement peut-il être courageux sans se suicider ». Et, dans l'élaboration du sujet, il faisait état de « l'émergence du nouveau journalisme politique, qui se veut un censeur hors-les-murs du gouvernement ». En 1993, cette fois, sous le titre : « Le nouveau journalisme politique a déséquilibré le jeu parlementaire », il enchaîne : « Le journalisme politique est loin d'être étranger au grave discrédit qui affecte les politiciens et les institutions politiques depuis quelques années, aussi bien qu'à l'impuissance des gouvernements

à relever adéquatement les grands défis de l'heure. »
Cette dernière citation nous semble capitale.

Marcel Adam ne fait pas qu'explorer les hautes sphères de la spéculation. Ainsi, il n'a pas craint de se pencher sur les cas de MM. Drapeau, Mulroney et Trudeau et d'en tirer des éléments propres à démontrer l'inadéquation qui existe entre les hommes politiques et les journalistes.

« Après avoir été méprisé, Drapeau se fait respecter. » Et Adam d'expliquer que, lors de son premier mandat à la mairie, M. Drapeau s'était « montré exceptionnellement ouvert avec la presse ». Or, cette dernière « ne manqua aucune occasion d'attaquer la nouvelle administration et de miner son crédit dans l'opinion publique ». Rappelons que M. Drapeau fut défait à l'élection suivante. Et Adam d'ajouter : « Convaincu d'avoir été trahi par la presse, M. Drapeau se jura de ne plus jamais faire confiance aux journalistes. » On sait que Jean Drapeau revint à la mairie de Montréal et qu'il y resta sans interruption plus de deux décennies en gardant ses distances envers la presse. Et l'éditorialiste de conclure : « Je regrette que les médias n'aient pas tiré leçon de cette expérience. »

« Naïf, M. Mulroney a cru à la collaboration des médias. » Marcel Adam analyse d'abord les causes de la chute de popularité du gouvernement nouvellement élu et il nous livre un aveu de M. Mulroney : « Une de mes erreurs, en arrivant à Ottawa, a été de croire que, si on travaillait fort et réussissait, la presse nous aiderait à sortir notre message en termes de création d'emplois, de réconciliation nationale. Je constate que la presse, à Ottawa, a une vocation autre. » Notons avec quelle retenue ces paroles ont été prononcées ! « Une vocation autre » ? « La guerre, messieurs ! » eût mieux fait l'affaire. Aussi et sans diminuer son mérite, l'éditorialiste a eu la voie toute tracée devant lui : « Il y a belle lurette que la presse ne joue plus le rôle que voudrait lui voir jouer M. Mulroney : une courroie de transmission entre le gouvernement et ses administrés. En général, les journalistes [...] s'intéressent moins à ce qu'accomplit le gouvernement qu'à ce qu'il rate [...]. »

Voilà qui rappelle, par association, une repartie de John F. Kennedy, repartie d'autant plus révélatrice que, contrairement à Richard Nixon, ses rapports avec la presse étaient plutôt faciles. Frustré, cette fois, de la façon dont la presse avait rendu compte de ses propos, il dit sans détour aux journalistes que tout allait bien « lorsqu'on n'a pas à s'en remettre à vous, bande de cons » ! Ce terme lui revenait à la bouche dès qu'il se butait à des commentaires défavorables de la presse. C'est dans la marine, rapportent certains de ses biographes, que Kennedy aurait acquis l'habitude du langage vert.

Enfin, « Trudeau règle ses comptes avec les nationalistes et surtout les médias », de titrer Adam. Tout l'article (11 novembre 1993) mériterait d'être reproduit. Limitons-nous à l'extrait suivant : « Une fois que les médias ont fait leur religion sur un événement politique ou un politicien (pour ne mentionner que ce secteur d'activité), plus rien ne peut les amener, sauf rares exceptions, à modifier leur point de vue et à tenter de détromper les gens qu'ils ont induits en erreur de bonne foi ou par négligence. Ils sont absolument réfractaires aux mises au point ou faits nouveaux contrariant la

version qu'ils ont fait prévaloir dans l'opinion publique. »

C'est de notoriété publique que les rapports entre
Trudeau et la presse, sauf lors de sa spectaculaire ascen-
sion politique, ne furent pas empreints de la plus grande
cordialité. Rappelons le bref échange entre l'homme
politique et la presse à l'occasion de son départ définitif
de la politique. « Des regrets ? », lui a demandé imprudemment un journaliste. « Eh bien, je ne vous aurai plus
pour me défouler. » Et les journalistes de rire... jaune.

Gilles Lesage nous livre toutefois un autre son de
cloche. Ses observations sont tirées d'une communication
donnée lors d'un colloque de la FPJQ, en 1990, et
publiées par la suite dans *Le Devoir* sous le titre : « Les
journalistes face au pouvoir politique ».

De toute évidence, l'homme n'est pas séduit par la
dominance du quatrième pouvoir. À la question « Les
journalistes au pouvoir ? », il répond d'emblée : « Non
pas. Des artisans de l'éphémère, dépendants de leurs
sources, bousculés par le temps, le nez collé à la vitre
[...]. Nous en sommes de plus en plus à ce que Toffler
(dans *La troisième vague*) appelle " *l'ad hoc cratie* ", la
démocratie à la pièce, à la carte, sur commande, pour un
objectif précis et un temps déterminé. La démocratie
instantanée, comme pour un café de même mixture. »
Pragmatique, Gilles Lesage ? Ce serait un peu simpliste
que de l'affirmer à la lumière de quelques extraits d'un
texte assez étoffé. Au reste, il nous livre une observation
qui semble des plus pertinentes : « Les citoyens savent
mieux et en plus grand nombre que naguère décoder les
messages politiques. » Voilà un rayon de soleil dans un
ciel opaque. Il nous livre pourtant, en terminant, un

rappel du leitmotiv qui lui tient à cœur : « Ce sont les " ad hoc crates " qui mènent désormais le bal. » C'est à voir. Attardons-nous quelque peu à l'essence de son message.

Que les journalistes souffrent de myopie, c'est l'évidence même. Nous pourrions affirmer sans crainte que c'est là leur première caractéristique outre celle d'être superficiels. Cela ne tient pas qu'à eux-mêmes, à leur décharge, puisqu'ils ont à se concentrer sur l'inévitable vingt-quatre heures. Et les médias sont terriblement voraces. Mais n'oublions pas les propos réfléchis de Michel Roy, au soir de sa carrière de journaliste, qui expliquent tellement bien carences, inepties et mensonges. Les médias incarnent « le monde des à peu près », comme disait Proust, « où l'on salue dans le vide, où l'on juge dans le faux ». Ils ont, hélas, énormément d'emprise sur la société. Aussi nous est-il difficile de souscrire à la thèse attrayante de Gilles Lesage parce qu'elle minimise à la limite l'impact généralement néfaste de la gent journalistique. Sans vouloir le priver du bénéfice de doute, rappelons-nous qu'il s'adressait à des confrères.

Nous avons vu que, forts de leur premier amendement, les journalistes américains n'éprouvent aucun complexe de quelque nature que ce soit. Il existe dans plusieurs de leurs journaux des *ombudsmen* dont le rôle, nous sommes en droit de le présumer, consiste non pas à protéger les droits du public mais ceux du journal. Bref, leurs ombudsmen tiennent davantage le rôle (restreint) d'agent de sécurité médiatique face au grand public. Pour ce qui est d'un conseil de presse ou d'un code de déontologie, ils n'en voient pas la nécessité faute de la concevoir. Et pourtant, les Américains ne sont pas si différents des autres hommes. Chez eux aussi, les mêmes causes produisent les mêmes effets. Les gens doutent. Ils sont sceptiques. Et le besoin crée l'organe, là comme ailleurs. La preuve en est qu'il existe chez eux depuis deux ans un magazine professionnel du journalisme de très belle tenue qui correspond à notre attente et vraisemblablement à la leur. Il a pour nom *Media Critic* avec, pour sous-titre, *The Best and Worst of America's Journalism*. N'est-ce pas là un signe des temps ?

Conclusion

Les médias disposent maintenant d'une véritable force de frappe qu'ils ne gardent pas en réserve pour un éventuel combat comme le font les soi-disant grandes nations pour se protéger d'un adversaire imaginaire ou réel. Ils se servent constamment de leur arsenal dans la pratique de leur métier. La terminologie propre à la guerre est vraiment appropriée dans leur cas. Car les médias sont en guerre. En guerre perpétuelle. Leur terrain, c'est le quotidien. Leur matière, c'est l'actualité. Ils sont en guerre contre les individus, contre les gouvernements, contre les institutions, contre les entreprises et occasionnellement entre eux, mais attention, uniquement pour les impératifs de la concurrence. Bref, ils sont en guerre contre tout. Sans distinction. Leur point de départ, c'est qu'il y a toujours anguille sous roche ; le corollaire, c'est que tout le monde est coupable.

Les médias sont par ailleurs iconoclastes, non par choix mais bien par nécessité. Comme tous les sujets traités sont éphémères de par leur instantanéité — leur seule raison d'être, selon eux —, il s'ensuit qu'ils sont d'égale importance, donc interchangeables. C'est la négation de toute reconnaissance d'une échelle de valeur. Ce serait totalement incompatible avec le système médiatique.

Entre la conclusion logique de Charlie Chaplin, « La presse aura maintenant à dire la vérité ! » et le mot d'exaspération de Kurt Waldheim, « Je suis propre ! », il s'est écoulé un demi-siècle. Quant à la différence d'attitude d'une époque à l'autre, à quoi bon la chercher puisque tout porte à croire qu'elle n'existe pas. Seule la technologie a changé. Pas la mentalité.

Depuis la deuxième guerre mondiale, les médias ont grandement profité de l'évolution de la technologie. Ils ont maintenant une emprise sur la société tout entière et cela à l'échelle de la planète. Leur puissance, accrue au centuple, s'est faite sans le recours à la coalition. Lorsque leur action est collective, c'est que le sujet ou les circonstances s'y prêtent. Ils s'épient et se pillent entre eux sans vergogne pour profiter à la limite de sujets susceptibles d'avoir le plus grand impact dans le public. Assez paradoxalement, lorsqu'ils œuvrent dans la même direction, leur action semble bénéfique. Il arrive même qu'elle le soit. Le mur de Berlin serait-il tombé sans leur travail de sape ? L'apartheid aurait-il pris fin sans eux ? Et la mise au ban des armes atomiques ? Et la prise de conscience des dangers de percée de la couche d'ozone ? Des grands thèmes comme la liberté, la survie de la race humaine et des espèces, l'écologie, la paix mondiale et l'appui aux œuvres humanitaires se retrouvent au menu quotidien. Alors, de quoi peuvent donc se plaindre l'observateur et le public ? C'est que les grandes causes se trouvent entremêlées avec les sujets scabreux, les scandales, les scènes de violence, le carnage et tous les cataclysmes : elles n'ont pas plus et pas moins d'importance que les événements sportifs ou la tenue annuelle du salon de l'automobile. Bref, il n'y a pas de causes en soi : tout y passe et tout s'y passe puisqu'il ne s'agit que de matière première hétérogène à transformer en pâte médiatique homogène. Rien n'est éliminé *a priori* ; tout est acceptable selon les besoins de l'heure. Et comme ces derniers sont immenses, l'ogre médiatique dévore tout sur son passage sans établir la moindre différence entre les innombrables composantes de la salade médiatique. On comprend mieux, dès lors, le souci de théâtralité qui se traduit dans l'information spectacle pour éviter la monotonie des petites annonces ou des avis de décès.

La technologie n'a pas eu comme seul effet de leur fournir des moyens fabuleux pour effectuer leur travail. Elle les a, par surcroît, libérés de toutes les servitudes d'antan. Il ne reste plus que la tombée ! (Cette dernière contrainte, au reste, est devenue universelle depuis qu'on exploite à fond, sous le prétexte fallacieux de la saine gestion, tout le personnel — nommé cyniquement ressources humaines — à se ruiner la santé pour l'*excellence*, au seul profit maximal de l'entreprise.) L'informatique met à leur disposition des banques de données. Le tirage et les cotes d'écoute sont des baromètres fiables qui mesurent chaque jour la santé financière de l'entreprise, garantie de toute façon, sauf de rares exceptions, par des magnats aux reins solides. Et la matière, inlassablement fournie par l'actualité, est illimitée. Sur le plan psychologique, toute la population, y compris les hautes instances, baigne dans un état de stupeur ou de lassitude qui frise la névrose. Une clientèle captive, entendons par là, docile, et qui n'a plus que le choix de passer d'un média à l'autre étant donné qu'ils sont tous interchangeables.

Les médias sont à peu près ou peu s'en faut invulnérables. En dépit de tous les codes déontologiques qu'ils se donnent, de ceux — généralement inoffensifs — qui leur sont imposés par des organismes de réglementation, ils tournent tout à leur avantage. L'ombudsman, le recours du public au droit de réplique et les rectificatifs n'ont, à toutes fins utiles, qu'une portée extrêmement limitée. Rappelons-nous le cas du Conseil du patronat : une lettre de protestation versus un titre en première page ! Quelle iniquité ! Rendons-nous à l'évidence : la partie est inégale entre les médias et le monde extérieur. Quant au citoyen, il est réduit à l'impuissance à peu près totale. En somme, malgré l'éloquente prose des énoncés de principe, tout est axé sur l'autodéfense. Invariablement.

Les rectificatifs sont une denrée plutôt rare. Ils représentent, néanmoins, une compensation, une espèce d'indemnisation morale pour les victimes. Si seulement les médias avaient le courage et l'honnêteté d'y consacrer le même espace ou le même temps qu'ils ne se sont pas privés de réserver à leurs allégations ! Les implications financières d'un tel procédé pour les médias sont réelles, mais alors, est-ce à dire que les dommages encourus par les victimes sont fictifs ? Non : ce n'est pas une question de comptabilité. C'en est une de justice.

Sauf erreur, *Le Monde*, un grand journal, l'un des plus sérieux et des plus prestigieux, n'a jamais publié de rectificatif à la suite de la publication qu'un Amérindien plutôt qu'un Blanc — une quantité négligeable paradoxalement — avait été tué lors de la crise d'Oka. Nul doute que cette grossière bévue, cette omission moins volontaire que jugée superflue, lourde de conséquence pour la réputation du Canada et du Québec, ait fait boule de neige, considérant la propension naturelle des médias à s'inspirer les uns les autres et à propager les demi-vérités et les bobards. Monseigneur Desmond Tutu, lauréat du prix Nobel de la paix, de passage ici à l'époque, a alors fait preuve d'une superbe ignorance sur cette tragédie. Il ne pouvait tenir ses informations que des médias. Pourtant, on a poussé l'hypocrisie jusqu'à le blâmer.

Assez curieusement et à l'encontre de la croyance populaire — les médias seraient avisés d'y repenser —, les rectificatifs ne sont pas nécessairement ennuyeux comme on pourrait le craindre. Ils peuvent même être divertissants.

À la mi-novembre 1971, *Le Devoir* a publié une annonce assez inusitée dont le libellé se lisait comme suit : « À la suite des événements des derniers jours et la condamnation par René Lévesque des manifestations syndicales, le Front des écrivains du Québec retire son appui jusqu'alors inconditionnel au PQ et le donne sans réserve au Crédit social. » Dès la première occasion, le même journal publiait le rectificatif suivant : « L'annonce parue à la page 11 du *Devoir* de samedi, 13 novembre 1971, sous la signature d'un prétendu " Front des écrivains du Québec ", est un canular qui a échappé à la vigilance de nos services de publicité, aux prises avec un surcroît de travail depuis que *La Presse* a fermé ses portes. Aucun des quelque cinquante écrivains dont les noms apparaissent dans cette annonce — sauf le petit malin qui se reconnaîtra — n'a donné son adhésion à cette présumée déclaration dont le caractère insolite trahissait déjà la supercherie. *Le Devoir* présente ses excuses aux écrivains en cause, de même qu'aux personnes et aux groupes auxquels cette mauvaise plaisanterie aurait pu porter préjudice. »

Fin juillet 1985, *Le Devoir* publiait un court rectificatif, un authentique chef-d'œuvre, d'un style à ce point personnel que la signature de l'auteur avait l'air totalement superflue : « Mon inconscient et sa notoriété m'ont fait faussement promouvoir le juge James K. Hugessen au poste de juge en chef de la Cour fédérale, dans mon éditorial qui commentait hier son jugement dans l'appel du CN contre le Tribunal canadien des droits de la personne. Toutes mes excuses à l'intéressé, et surtout au juge en chef, l'honorable Louis Thurlow. » Signé, Lise Bissonnette.

Ces deux exemples démontrent par ailleurs et indubitablement le côté cuisant du geste (quelle délectation pour le lecteur !), d'où la réticence extrême qu'éprouve la presse à le poser. Le rectificatif témoigne du souci d'honnêteté et d'équité du journal en cause. La radio et la télé s'en tirent impunément, exception faite du cirque des audiences périodiques du CRTC. Mais on comprend facilement que ce doit être pénible d'admettre qu'une erreur a été commise lorsque le métier qu'on pratique consiste essentiellement à relever et à mettre en évidence les erreurs des autres.

Cela dit, chacun a droit à sa marge de jeu. Ce en quoi les journalistes, exceptionnellement, se retrouvent sur le même pied que les autres citoyens. Il ne leur reste plus qu'à faire un petit effort supplémentaire pour apprécier à sa juste valeur l'occasion de se sentir davantage solidaires de la société.

Récemment, en Angleterre, le couple Richard Gere et Cindy Crawford (un acteur et un mannequin) ont réagi de façon fort originale à des potins sur les rumeurs d'instabilité de leur mariage. Ils ont défrayé une page d'annonce dans le *Times* (quarante mille dollars). Voilà, assurément, une solution efficace lorsqu'une mise au point s'impose. Cette solution radicale et d'une efficacité incomparable n'est, hélas, pas à la portée de toutes les bourses. Seuls les syndicats et les grandes entreprises, dans notre milieu, ont recours à ce moyen unique de faire passer leur message clairement. « Si vous voulez que les choses soient dites clairement, dites-les vous-même », lisait-on dans une annonce maison du *Globe and Mail*, en 1980.

Ce ne sera pas demain la veille du jour où le plus simple des mortels jouira non pas du principe d'égalité mais des moyens de l'exercer. Imaginons seulement qu'un journal important décide de consacrer quotidiennement une pleine page aux rectificatifs — selon des normes acceptables aux deux parties. Quel effet bienfaisant une telle démarche ne manquerait-elle pas d'avoir dans le public et quel effet heureux sur le tirage ! Pourquoi hésite-t-on à tenter l'expérience ?

Serions-nous sous l'empire des médias ? Il serait téméraire de l'affirmer ; il serait imprudent de le nier. Mais comme les gouvernements sont maintenant, dans une large mesure, à leur merci, les citoyens en éprouvent un grand malaise. Nous avons vu que cette anxiété était partagée par l'intelligentsia des journalistes. Du moins, dans notre milieu. Ce signe est encourageant. Si les médias n'ont pas d'âme, ceux qui y travaillent, certains tout au moins, en ont une. C'est sur eux que repose la lourde responsabilité d'infuser de la retenue et de la droiture aux autres journalistes. Une tâche ingrate.

Dans *La comédie du pouvoir*, Françoise Giroud a écrit : « Chacun peut se tenir au fil d'or de la conduite individuelle, la morale collective, elle, a éclaté. » Cette pensée ne pouvait venir que d'une personne sensible au bien-être de la société. Or, et par surcroît, cette réflexion est celle d'une journaliste de carrière, et pas la moindre.

Oui, messieurs et mesdames les journalistes, il existe une écologie socioculturelle et politique. Et les médias devraient l'admettre comme préalable à leur action et à leur immense pouvoir : ce pourrait être pour eux le commencement de la modération et pour nous un allégement de notre état de déception chronique.

Épilogue

Les circonstances sont parfois favorables à la confrontation des idées et des points de vue. C'est ainsi qu'au moment d'aller sous presse, vient de paraître un second ouvrage du journaliste et étudiant au doctorat en science politique Marc-François Bernier, *Les planqués. Le journalisme victime des journalistes* (VLB). Je trouve la coïncidence heureuse. Cela permettra aux lecteurs de comparer deux positions, non pas diamétralement opposées, mais néanmoins différentes, sur le journalisme.

Le Devoir a déjà présenté quelques extraits de ce livre dans sa livraison du 21 septembre. Quoi qu'il en soit, et on le comprendra, il ne m'appartient pas de juger cet ouvrage qui porte essentiellement sur l'éthique et la déontologie du journalisme. Par contre, rien ne s'oppose à ce que je fasse part de ma réaction à certains énoncés qui reviennent comme des leitmotive dans l'ouvrage de Marc-François Bernier, et qui sont, à mon avis, fort contestables. Au lecteur de trancher.

Si le journalisme n'existait pas, il faudrait l'inventer. C'est entendu. Mais tout comme bien d'autres métiers qui se sont graduellement imposés parce qu'ils correspondaient à un besoin réel. Faut-il pour autant pérorer sur la question de leur légitimité ? Marc-François Bernier insiste beaucoup sur ce point sans doute parce qu'il le trouve particulièrement important et qu'il y voit la justification même du métier. Si j'étais journaliste, je serais d'avis contraire et inquiet parce que tout porte à croire à l'illégitimité fondamentale du journalisme.

Ainsi, écrit-il que « la légitimité du journalisme n'est pas un don divin ». Ce en quoi je suis bien d'accord. Et il enchaîne comme suit : « Elle tient à un consentement généralisé qu'on peut qualifier de *contrat social* [nous soulignons] et découle d'un processus complexe dans lequel les journalistes jouent un rôle capital. [...] Il n'existe pas une façon idéale de préserver la légitimité du journalisme » (p. 15-16). Tout simplement parce qu'elle n'existe pas ! Ne s'agirait-il pas plutôt d'autolégitimité ? La souveraine assurance des journalistes, qui indispose tellement le public, trouve sa source dans la foi qu'ils partagent tous en la soi-disant légitimité de leur métier.

Les journalistes, dit l'auteur, tirent leur légitimité du public. Voici comment il développe son thème : « La légitimation du journalisme dérive d'un processus de légitimation. C'est sa force, mais aussi sa faiblesse. Plusieurs éléments contribuent à conférer au journalisme son statut légitime ; mais que s'installent des déviations ou des dysfonctionnements dans le système et on pourra à juste titre remettre en question les prétentions journalistiques selon lesquelles la profession serait dépositaire d'un consentement social qui habilite les journalistes à exiger, au nom des citoyens, que des acteurs sociaux rendent des comptes publics » (p. 57). Personne ne pourra douter de l'honnêteté de ces propos.

Aucun métier n'est à l'abri des déviations et des dysfonctionnements sans pour autant voir sa légitimité remise en cause. C'est quand la légitimité est contestable et contestée, comme c'est le cas pour le journalisme, que sa justification devient laborieuse. Aucun expédient philosophique ou juridique ne pourrait combler ce vide. De là à dire que le journalisme est en porte-à-faux, il n'y a qu'un pas, que personnellement, je n'hésite plus à faire et allégrement.

Par ailleurs, Marc-François Bernier, il l'admet sans ambages, est contractualiste. Mais en homme prudent, il rappelle que Jean-Jacques Rousseau fut le premier à reconnaître que les clauses de son *Contrat social* n'ont « peut-être jamais été formellement énoncées, [qu'] elles sont partout les mêmes, partout tacitement admises et reconnues ». En ce sens, les professeurs syndiqués de nos universités tout comme nos policiers et pompiers sont également *contractualistes*, certains sans le savoir — comme Monsieur Jourdain.

Mais quand on veut rattacher le métier de journaliste ou le journalisme au *Contrat social*, il serait bon de se souvenir que le célèbre ouvrage de Rousseau remonte à 1762 alors que le premier journal, publié en Allemagne, date de 1609. La préoccupation de l'auteur est des plus nobles, mais elle risque quelque peu d'être une construction de l'esprit. L'ingénieur en aéronautique ou l'astronaute pourrait également revendiquer le même privilège, ce qui atténue passablement la signification et la portée de l'affirmation.

Pour éviter toute équivoque et en toute justice pour l'auteur, rappelons que cet ouvrage est essentiellement conçu en fonction de l'éthique et de la déontologie de la *profession* (*sic*) de journaliste. Nul doute que ce livre fera couler beaucoup d'encre et suscitera l'intérêt de la gent journalistique, à moins que l'apathie du milieu, de la société s'entend, une fois de plus et de trop, le relègue aussitôt aux oubliettes comme c'est si souvent le cas au pays de l'hiver.

Bibliographie

Aron, Raymond, *50 ans de réflexion politique. Mémoires*, Paris, Julliard, 1983.

Bain, George, *Gotcha! How the Media Distort the News*, Toronto, Key Porter, 1994.

Barker, Ernest, *L'Angleterre et les Anglais*, Londres, Oxford University Press, 1945.

Bernier, Marc-François, *Les planqués. Le journalisme victime des journalistes*, Montréal, VLB, 1995.

Calabrese, Giovanni, *Entretiens avec Jean Paré*, Montréal, Liber, 1994.

Coulanges, Fustel de, *La cité antique*, Paris, Hachette, 1864.

Delisle, Esther, *Le traître et le Juif*, Montréal, L'Étincelle, 1992.

Derriennic, Jean-Pierre, *Nationalisme et démocratie*, Montréal, Boréal, 1995.

Desbiens, Jean-Paul, *Appartenance et liberté*, J.C.L., 1983.

Duval, André, *La capitale*, Montréal, Boréal, 1979.

Filion, Gérard, *Fais ce que peux. En guise de mémoires*, Montréal, Boréal, 1989.

Frye, Northrop, *The Modern Century*, Toronto, Oxford University Press, 1990.

Giroud, Françoise, *La comédie du pouvoir*, Paris, Fayard, 1978.

Greene, Graham, *Yours, etc. Letters to the Press*, 1945-1989, Toronto, Lester & Orpen Dennys, 1989.

Laplante, Laurent, *L'information, un produit comme les autres*, IQRC, 1992.

Lemieux, Pierre, *La souveraineté de l'individu*, Libre Échange, 1987.

Minc, Alain, *Le média-choc*, Paris, Grasset & Fasquelle, 1993.

Moravia, Alberto, *Journal européen*, Écriture, 1993.

Morgan, Kenneth, OBE, communication, Québec, 6 oct. 1983.

Obadia, Robert, *Nationair, un succès assassiné*, Montréal, Vaugeois, 1993.

Pivot, Bernard, *Le métier de lire. Réponses à Pierre Nora*, Paris, Gallimard, 1990.

Revel, Jean-François, *Comment les démocraties finissent*, Paris, Grasset, 1983.

Rostand, Jean, *Carnet d'un biologiste*, Paris, Stock, 1959.

Saul, John, *Les bâtards de Voltaire, la dictature de la raison en Occident*, Paris, Payot, 1995.

Standen, Anthony, *Electronic Illusions*, Victoria, 1982.

Trudel, Marcel, *Mémoires d'un autre siècle*, Montréal, Boréal, 1987.

Valéry, Paul, *Cahiers*, tome I, Paris, Gallimard, La Pléiade, 1973.

Index

Table des matières

Mise en pages : Folio infographie

Achevé d'imprimer
en octobre 1995
sur les presses de AGMV
à Cap-Saint-Ignace, Québec